Hauptkurs

Deutsch als Fremdsprache
Niveaustufe B2

Michaela Perlmann-Balme
Susanne Schwalb

Max Hueber Verlag

AB = Arbeitsbuch

GR S. 30 = Grammatikanhang der Lektion auf der angegebenen Seite
ÜG S. 46 = em Übungsgrammatik (ISBN 3-19-001657-7) auf der angegebenen Seite

5.   4.   3.   Die letzten Ziffern
2010 09 08 07 06   bezeichnen Zahl und Jahr des Druckes.
Alle Drucke dieser Auflage können, da unverändert,
nebeneinander benutzt werden.
1. Auflage
© 2005 Max Hueber Verlag, 85737 Ismaning, Deutschland
Umschlaggestaltung und Layout: Marlene Kern, München
Verlagsredaktion: Dörte Weers, Weßling; Maria Koettgen, München; Thomas Stark, Maitenbeth
Zeichnungen: Martin Guhl, Duillier Genf
Druck und Bindung: Stürtz, Würzburg
Printed in Germany
ISBN 3-19-001695-X

INHALT

KURSPROGRAMM

KURSPROGRAMM

VORWORT

Liebe Leserin, lieber Leser,

in den vergangenen Jahren haben viele von Ihnen *em* Hauptkurs bereits weltweit erfolgreich als kurstragendes Lehrwerk eingesetzt. Mit der vorliegenden Neubearbeitung wollen wir Sie auch für die nächsten Jahre mit aktuellem und interessantem Material ausrüsten.

Nachdem sich der Europäischen Referenzrahmen als anerkanntes Bezugssystem für Fremdsprachen in Europa etabliert hat, können wir für *em* Hauptkurs nun eine noch genauere Niveaubestimmung vornehmen. Kurs- und Arbeitsbuch bieten Lernstoff auf dem Niveau B2 an.

Praktische Erfahrungen aus der Arbeit mit dem Lehrwerk, die uns Lehrende aus aller Welt übermittelt haben, gaben unserer Neubearbeitung ganz wesentliche Impulse. An vielen Stellen konnten wir das Programm straffen und so Platz für zwei komplett neue Lektionen schaffen.

Das flexible Baukastensystem von *em* haben wir dabei selbstverständlich beibehalten, es hat sich in der Praxis bewährt. Mit den Bausteinen Lesen, Hören, Schreiben, Sprechen, Wortschatz und Grammatik kann auch in der Neubearbeitung ein Lernprogramm zusammengestellt werden, das auf individuelle Bedürfnisse abgestimmt ist. Den Baustein Lerntechnik haben wir in kleinere Portionen aufgeteilt und ins Arbeitsbuch übernommen.

Mit *em* werden die vier Fertigkeiten systematisch trainiert. Dabei gehen wir von der lebendigen Sprache aus. Das breite Spektrum an Textsorten, die Sie im Inhaltsverzeichnis aufgelistet finden, spiegelt die Vielfalt der sprachlichen Realität außerhalb des Klassenzimmers wider, für die wir Sie fit machen wollen. Sie begegnen in den Rubriken Lesen und Hören Werken der deutschsprachigen Literatur ebenso wie verschiedenen Textsorten aus der Presse und dem Rundfunk oder fachsprachlichen Texten. Auch bei den produktiven Fertigkeiten Sprechen und Schreiben haben wir darauf geachtet, dass Sie eine Vielzahl von Textsorten kennen lernen. So können Sie Strategien bei einem Beratungsgespräch ebenso üben wie ein geschäftliches Telefonat. Und das Schreibtraining basiert auf Textsorten, die Sie in der Praxis brauchen.

Das Grammatikprogramm ist systematisch aufgebaut und stellt Bekanntes und Neues integriert dar. So können Sie Ihr bereits vorhandenes sprachliches Wissen ausbauen. Sie erarbeiten den Grammatikstoff zunächst anhand der Lesetexte. Auf den letzten Seiten jeder Lektion ist er übersichtlich zusammengestellt.

Viel Spaß beim Lesen, Lernen und Durcharbeiten wünschen Ihnen

Michaela Perlmann-Balme
Susanne Schwalb

1   Bilden Sie aus Ihren Vornamen eine Kette:

1 (Maria): Maria.
2 (Kevin): Maria, Kevin.
3 (Lisa): Maria, Kevin, Lisa.

Nachdem der Letzte alle Namen aufgesagt hat,
wiederholt die Kursleiterin/der Kursleiter die Reihe
und hängt ihren/seinen Namen dran.

2   Gehen Sie in der Klasse herum. Sprechen Sie mit
jedem und finden Sie bei diesen Gesprächen
jeweils zwei Gemeinsamkeiten heraus, zum
Beispiel

a Herkunftsland
b Beruf
c Geburtsjahr
d Lieblingsfarbe
e Hobbys

Sie haben zehn Minuten Zeit. Danach berichten Sie
in der Klasse, welche Gemeinsamkeiten Sie gefunden
haben.

Fragebogen

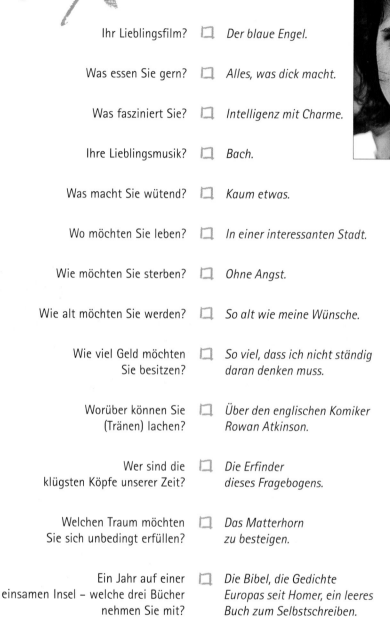

| Ihr Lieblingsfilm? | ☐ | *Der blaue Engel.* |

Was essen Sie gern? ☐ *Alles, was dick macht.*

Was fasziniert Sie? ☐ *Intelligenz mit Charme.*

Ihre Lieblingsmusik? ☐ *Bach.*

Was macht Sie wütend? ☐ *Kaum etwas.*

Wo möchten Sie leben? ☐ *In einer interessanten Stadt.*

Wie möchten Sie sterben? ☐ *Ohne Angst.*

Wie alt möchten Sie werden? ☐ *So alt wie meine Wünsche.*

Wie viel Geld möchten Sie besitzen? ☐ *So viel, dass ich nicht ständig daran denken muss.*

Worüber können Sie (Tränen) lachen? ☐ *Über den englischen Komiker Rowan Atkinson.*

Wer sind die klügsten Köpfe unserer Zeit? ☐ *Die Erfinder dieses Fragebogens.*

Welchen Traum möchten Sie sich unbedingt erfüllen? ☐ *Das Matterhorn zu besteigen.*

Ein Jahr auf einer einsamen Insel – welche drei Bücher nehmen Sie mit? ☐ *Die Bibel, die Gedichte Europas seit Homer, ein leeres Buch zum Selbstschreiben.*

1 Lesen Sie den Fragebogen.

Markieren Sie sechs Fragen, die Ihnen gut gefallen. Schreiben Sie diese auf ein separates Blatt. Lassen Sie nach jeder Frage etwas Platz für eine Antwort.

2 Machen Sie zu zweit ein Interview.

Stellen Sie einer Lernpartnerin/einem Lernpartner die ausgewählten sechs Fragen. Notieren Sie sich die Antworten. Anschließend stellen Sie Ihre Partnerin/Ihren Partner der Klasse vor.

AB

LESEN 1

__1__ Kennen Sie eine international bekannte deutschsprachige Person, die in Ihrem Heimatland lebt oder gelebt hat?

   a Wann hat sie gelebt?
   b Wofür ist die Person bekannt?
   Sprechen Sie zuerst in der Gruppe, danach im Kurs.

> *Er/Sie ist bekannt für ...*
> *hat ... erfunden*
> *... entdeckt*
> *... geschrieben*
> *... gebaut.*

__2__ Welche Themen passen zu diesen Bildern?

Architektur – Ernährung – Geographie – Politik – Industrie – Literatur – Musik

__3__ Welche der folgenden Persönlichkeiten sind in den Texten A–D beschrieben?

- Marie Antoinette
- Maria Theresia
- Joseph Haydn
- Julius Maggi
- Heinrich Steinweg
- August Thyssen
- Georg Forster
- Walter Gropius
- Alexander von Humboldt

A _____

Er fühlte sich in den Salons der guten Gesellschaft genauso wohl wie in den Indianerdörfern am Orinoko, bei den deutschen Siedlern an der Wolga oder den Nomadenstämmen in Asien. Als er – wie man damals sagte – die zivilisierte Welt verließ, um in unbekannten Welten sein Leben zu führen, überraschte er alle Wissenschaftler von Rang. Ihnen erschien es abenteuerlich, Erkenntnisse in Urwäldern und Wüsten zu suchen. Er entwickelte die Grundlagen der wissenschaftlichen Länderkunde, wurde zum Begründer der physischen Geographie und fand neben seinen Reisen, seiner Lehrtätigkeit und seinen diplomatischen Missionen im Dienst des Königs von Preußen auch noch die Zeit, seine Forschungsergebnisse in dreißig dicken Bänden zu veröffentlichen.

B _____ *Marie Antoinette* _____

Sie wurde als fünfzehntes Kind der Kaiserin von Österreich geboren. Sie war lebenslustig, spielte Klavier, sang ganz ordentlich und besaß einen starken Hang zu Luxus und Glücksspiel. Als sie im Alter von 14 Jahren mit dem Thronfolger von Frankreich verheiratet wurde, war die Welt des alten Europa noch in bester Ordnung. Doch dann reagierte das Volk Frankreichs seinen angestauten Hass in der Französischen Revolution ab. Als Ausländerin, ja gar als Österreicherin war sie von vornherein suspekt. Das machte sie neben ihrem aufwendigen Lebenswandel zu einem beliebten Angriffsziel. In böswilligen Flugblättern wurde sie als „Bestie" dargestellt. Als sie 1793 genau wie ihr Mann hingerichtet wurde, hatte sie die Hölle auf Erden erlebt.

C _____

Als er zur Welt kam, war das Klavierspiel gerade zu einem wichtigen Teil eines bürgerlichen Lebensstils geworden. Ein amerikanischer Tourist in Wien beklagte sich im Jahr 1825: „In jedem Bürgerhaus ist das Klavier das Erste, was man erblickt. Kaum hat der Gast Platz genommen und von dem wässerigen Wein getrunken, wird das Fräulein Karoline, oder wie es sonst heißen mag, von den stolzen Eltern aufgefordert, dem Gast etwas vorzuspielen." Der Dichter Heinrich Heine seufzte: „Dem Piano kann man nirgends mehr ausweichen." Heine schrieb dies 1853, im Gründungsjahr der drei großen Konzertflügelhersteller Bechstein, Blüthner und eben ... Letzterer war nach Amerika ausgewandert und hatte seinen Namen der neuen Sprache angepasst.

D _____

Es gab Zeiten, als im Wirtshaus neben dem Salz- und Pfefferstreuer ganz automatisch ein gewisses braunes Fläschchen stand! Der Erfinder dieses Gewürzes ist gebürtiger Italiener, dessen Familie 1828 in die Schweiz einwanderte. Er beschäftigte sich mit sozialen Fragen, die aber viel mit Ernährung zu tun hatten. Ende des 19. Jahrhunderts zogen in die Fabriken nämlich Frauen ein – vor allem auf den billigen Arbeitsplätzen. Das hatte Konsequenzen: Die Zeit für den Haushalt, besonders für die Zubereitung der Mahlzeiten, wurde knapp. Die Lösung: das Fertiggericht. Trockensuppen wurden ein großer Erfolg. Dann kam noch die Speisewürze in der Flasche hinzu. Bald war ein europaweites Unternehmen entstanden.

`AB`

__4__   Ergänzen Sie Informationen zu den Persönlichkeiten.

Person	Lebensdaten	Herkunftsland	Beruf/Position	berühmt wofür?

GR __5__   Unterstreichen Sie Adjektive und Adverbien in den Texten.

Welche stehen beim Nomen, welche beim Verb bzw. Prädikat? Warum hat z.B. *lebenslustig* in Text B keine Endung?

GR __6__   Ergänzen Sie – wo möglich – je ein Beispiel aus den Texten B bis D.   ÜG S.30–35

Markieren Sie die Artikel sowie die Endungen der Adjektive.

	Singular			Plural	
	Singular mit bestimmtem Artikel	Singular ohne Artikel	Singular mit unbestimmtem Artikel	Plural mit Artikel	Plural ohne Artikel
NOM					
AKK	*die zivilisierte Welt*				
DAT				*den deutschen Siedlern*	*dicken Bänden*
GEN	*der guten Gesellschaft*				

`AB`

GR __7__   Erklären Sie die Adjektivendungen aus den Texten. Arbeiten Sie in Gruppen.

in den Salons der guten Gesellschaft   -n: Singular, mit bestimmtem Artikel, Genitiv
bei den deutschen Siedlern   -n: Plural, mit bestimmtem Artikel, Dativ

_1_ Wählen Sie eine der Personen auf den Fotos aus.

Geben Sie ihr einen Namen und denken Sie sich eine Biographie aus. Notieren Sie Stichpunkte zu:

- **ⓐ** Geburtsdatum
- **ⓑ** Geburtsort
- **ⓒ** Schulbildung
- **ⓓ** Berufsweg
- **ⓔ** entscheidende Erlebnisse
- **ⓕ** Familie

_2_ Stellen Sie „Ihre" Person in der Klasse vor.

1   Unsere Besten – Wofür könnte das ein Titel sein?

     a   Für eine Sendung über wichtige deutsche Persönlichkeiten.

     b   Für eine Talkshow mit Stars aus Rundfunk und Fernsehen.

     c   Für eine Sportsendung.

2   Sehen Sie sich die Fotos und Namen im Bild an.

     a   Welchen Namen kennen Sie?

     b   Was hat diese Person gemacht?

     c   Wer fehlt Ihrer Meinung nach?

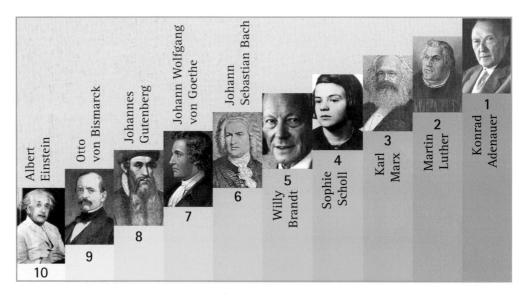

Albert Einstein · Otto von Bismarck · Johannes Gutenberg · Johann Wolfgang von Goethe · Johann Sebastian Bach · Willy Brandt · Sophie Scholl · Karl Marx · Martin Luther · Konrad Adenauer

3   Wer ist wer?

     Ordnen Sie zu. Benutzen Sie, wenn nötig, ein Lexikon.

Die 10 Besten

	Name	Vorname	Tätigkeit	Leistung/Werk
1.	Adenauer	Albert	Bundeskanzler	Bibelübersetzung
2.	Luther	Johann Sebastian	Bundeskanzler	Buchdruck
3.	Marx	Johann Wolfgang von	Dichter	*Das kommunistische Manifest*
4.	Scholl	Johannes	Erfinder	*Faust*
5.	Brandt	Karl	Komponist	*Matthäus-Passion*
6.	Bach	Konrad	Philosoph	Ostpolitik
7.	Goethe	Martin	Physiker	Reichsgründung
8.	Gutenberg	Otto von	Reformator	Widerstand
9.	Bismarck	Sophie	Reichskanzler	Wiederaufbau
10.	Einstein	Willy	Studentin	Relativitätstheorie

4   Welche dieser Persönlichkeiten ist für Sie der/die wichtigste Deutsche?

     Wählen Sie mindestens eine dieser Personen.
     Begründen Sie Ihre Wahl.

5   Ermitteln Sie die Top 3 für Ihren Kurs.

6   Welches sind die „Besten" in Ihrem Heimatland?

HÖREN 1

__1__ Hören Sie nun einen Ausschnitt aus der Gesprächsrunde „Unsere Besten".
Über welche der Top 10 unterhalten sich die Personen?

__2__ Was wissen Sie über die beiden Personen?

Bach

Goethe

__3__ Lesen Sie die Aussagen unten.
Hören Sie nun das Gespräch in zwei Abschnitten. Entscheiden Sie während des Hörens
oder danach, zu welcher Person die Aussagen passen.

Über wen wird das gesagt?	Bach	Goethe
1. Er musste von seiner künstlerischen Arbeit leben.	X	
2. Er war nicht nur Künstler, sondern auch Politiker.		
3. Er war ein Universalgenie.		
4. Er wird heute noch häufig aufgeführt und interpretiert.		
5. Er wird von Künstlern des Pop, Jazz und der Klassik interpretiert.		
6. Er wünschte sich ein vereinigtes Deutschland.		
7. Sein Werk wurde in viele Sprachen übersetzt.		
8. Für Sting ist er der wichtigste Deutsche - die Nummer eins!		
9. Heute werden seine Werke weniger häufig aufgeführt.		
10. Sein Gesamtwerk umfasst über tausend Werke.		
11. Seine Werke sind ein Stück Weltkultur.		
12. Seine Werke waren meistens Auftragsarbeiten.		
13. Was er sagte, war für viele Menschen in der DDR ein Trost.		
14. Seine Werke wurden mit einer Raumsonde in den Weltraum geschickt.		
15. Viele Deutsche können etwas von ihm auswendig.		

`AB`

__4__ Welche der Aussagen und Argumente haben Sie überzeugt?
Wen halten Sie für wichtiger, Bach oder Goethe? Warum?

WORTSCHATZ – *Charakter*

__1__ Haben die folgenden Sätze eine positive (+) oder eine
negative (–) Bedeutung?

	+	–
a Sie arbeitet wie ein Pferd.		
b Ihr muss man alles dreimal sagen.		x
c Er lässt dich nicht im Stich.		
d Sie lässt ihren Verlobten nicht aus den Augen.		
e Er nimmt wenig Rücksicht auf andere.		
f Sie gibt mit vollen Händen.		
g Er hat eine sehr hohe Meinung von sich.		
h Sie sagt, was sie denkt.		

__2__ Ordnen Sie die Sätze **a**-**h** den Nomen zu.

Laster	Tugend
Eifersucht	Zuverlässigkeit
Stolz	Großzügigkeit
Egoismus	Fleiß
Trägheit	Offenheit

Wie heißen die entsprechenden Adjektive?

AB

__3__ Kreuzen Sie an, welche Charaktereigenschaften
auf Sie selbst zutreffen.

5 Sie sind sehr geduldig.
4 Sie sind ziemlich geduldig.
3 Sie sind weder besonders geduldig noch besonders ungeduldig.
2 Sie sind ziemlich ungeduldig.
1 Sie sind sehr ungeduldig.

geduldig	5	4	3	2	1	ungeduldig
fleißig						faul
höflich						unhöflich
ordentlich						unordentlich
praktisch						unpraktisch
verantwortungs-bewusst						verantwortungs-los

Tauschen Sie nun den Raster mit
Ihrer Partnerin/Ihrem Partner aus. Jetzt
beschreibt jeder den anderen anhand des Rasters.

AB

__4__ Gefühle lassen sich oft im Gesicht ablesen.

Welche Gefühle sind auf den Bildern oben dargestellt? Begründen Sie Ihre Meinung.

a Der ältere Mann ist

☐ eifersüchtig auf jemanden
☐ erschrocken über etwas
☐ böse auf jemanden
☐ keins davon, sondern ...

b Die Frau ist

☐ zufrieden mit etwas
☐ erstaunt über etwas
☐ enttäuscht von etwas
☐ keins davon, sondern ...

c Der junge Mann ist

☐ dankbar für etwas
☐ beunruhigt über etwas
☐ interessiert an etwas
☐ keins davon, sondern ...

GR __5__ Unterstreichen Sie die Präpositionen in Aufgabe 4 **a**-**c**. GR S. 26/4

Ordnen Sie die Adjektive mit festen Präpositionen in den Kasten ein.
Suchen Sie passende Ergänzungen.

Adjektiv + Präposition + Dativ	Adjektiv + Präposition + Akkusativ
enttäuscht von einem Mann	*eifersüchtig auf einen anderen Mann*

`AB`

__6__ Lesen Sie die folgenden vier Personenbeschreibungen.
Klären Sie unbekannte Wörter.

MEINE FREUNDIN

Ich kenne sie schon seit meinem ersten Schuljahr. Heute sehen wir uns nur noch selten, aber wenn wir uns treffen, ist es immer unheimlich lustig. Meistens gehen wir dann zusammen ins Kino und hinterher noch ein Glas Wein trinken. Sie hat ein sehr lebendiges und offenes Wesen und kann sich gut in andere hineindenken. Das macht sie zu einer angenehmen Gesprächspartnerin. Da sie außerdem auch ziemlich hübsch ist, laufen ihr die Männer hinterher.

MEIN FREUND

Neben ihm habe ich die letzten Jahre bis zum Abitur in der Schule gesessen. Er ist ein eher verschlossener Typ. Das Einzige, wofür er sich wirklich begeistern kann, sind Tiere. Seit ich ihn kenne, hält er sich irgendein Haustier. Wir gehen oft zusammen im Wald spazieren. Da taut er dann regelrecht auf und erklärt mir allerhand, was es zu sehen gibt. Bei Menschen, die er nicht kennt, ist er meistens furchtbar schüchtern.

MEINE TANTE

Tante Mathilde ist die Schwester meiner Mutter. Sie ist Mitte fünfzig und für ihr Alter sieht sie noch recht jugendlich aus. Sie hat zwei Söhne, die schon erwachsen sind. Für Hausarbeit interessiert sie sich überhaupt nicht. Trotz ihres Alters legt sie besonders viel Wert auf ihr Aussehen. Sie ist ausgesprochen gesellig und geht gerne mal in die Kneipe einen trinken. Abends wird sie erst richtig munter.

MEIN ONKEL

Von all meinen Verwandten ist mir Onkel Rudolf der Liebste. Er ist der jüngste Bruder meiner Mutter, hat nie geheiratet und lebt ziemlich zurückgezogen in einem kleinen Dorf. Als enorm belesener Mensch hat er in jeder freien Minute ein Buch vor der Nase. Deshalb kennt er sich auch in vielen Wissensgebieten äußerst gut aus. Zudem ist er ausgesprochen hilfsbereit. Leider ist er manchmal etwas unpraktisch, wenn es z.B. darum geht, einen Nagel in die Wand zu schlagen.

__7__ Ergänzen Sie die Informationen aus dem Text.
Jeweils eine Gruppe übernimmt eine der beschriebenen Personen.

Informationen über	Beispiel
Gesicht und Körper	*ziemlich hübsch*
Charaktereigenschaften	
Vorlieben und Schwächen	

`AB`

__8__ Einige Adjektive im Text sind graduiert.
Beispiel: *ziemlich hübsch*. Ergänzen Sie weitere Beispiele.

Graduierendes Adverb	Adjektiv
ziemlich	*hübsch*

__9__ Ordnen Sie die graduierenden Adverbien in folgendes Schema. ÜG S. 40

verstärkt	verstärkt eine Negation	schwächt ab
unheimlich lustig	...	*recht jugendlich*
...		...

__1__   Formulieren Sie folgenden Text so um, dass nicht jeder Satz mit Sie anfängt.

Beginnen Sie die Sätze mit dem jeweils schwarz gedruckten Wort.

> **Eine** Freundin **meiner** Mutter

Sie mag gern Tiere. Sie mag **allerdings** nur kleine Tiere.
Sie freut sich **außerdem** über Besuch.
Sie kocht **aber** nicht gern.
Sie lädt ihre Freunde **nachmittags** oft zu Kaffee und Kuchen ein.
Sie interessiert sich **trotz ihres Alters** noch für viele Dinge.
Sie ist **deshalb** eine unterhaltsame Gesprächspartnerin.

Sie mag gern Tiere, allerdings nur kleine. Außerdem freut sie sich über Besuch.

__2__   Graduieren Sie die Aussagen mit folgenden Adverbien:

äußerst – besonders – ganz – recht – unglaublich – ziemlich
Beispiel: *Sie mag unglaublich gern Tiere.*

__3__   Beschreiben Sie eine Person, die Sie gut kennen.

Schreiben Sie fünf bis sechs Sätze auf eine Karte. Sagen Sie etwas über:

- **ⓐ** Aussehen
- **ⓑ** Charakter
- **ⓒ** Vorlieben und Schwächen
- **ⓓ** Ihre Meinung zu der Person

Denken Sie bitte daran, dass die Sätze gut aneinander anschließen. Verwenden Sie auch Wörter wie *aber – allerdings – doch – außerdem – deshalb – leider*.

__4__   Lesen Sie Ihre Personenkarten in Gruppen zu viert vor.

Klären Sie alle unbekannten Wörter.

__5__   Spiel: Bücher verschenken

Ziel des Spieles ist es, gute Gründe zu nennen, warum sich ein bestimmter Buchtitel besonders gut als Geschenk für eine bestimmte Person eignet. Dazu sind Phantasie und Überzeugungskraft nötig, denn der Würfel führt einen Spieler ganz zufällig auf ein bestimmtes Buch. Sie spielen zu viert. Sie brauchen das Spielfeld rechts, 4 Spielfiguren, 1 Würfel, 8 Personenkarten. (Verwenden Sie die in Aufgabe 3 geschriebenen Texte und die Texte aus Aufgabe 6, Seite 17.)

Spielregeln

Mischen Sie die Personenkarten.
Jeder Spieler erhält eine Spielfigur und zwei Personenkarten.
Das jüngste Gruppenmitglied würfelt zuerst. Würfelt es zum Beispiel eine Sechs, dann darf sie/er mit der Spielfigur sechs Felder auf dem Spielfeld vorgehen. Jetzt wählt der Spieler aus seinen Personenkarten die Person aus, von der er glaubt, dass sie sich für das getroffene Buch interessieren könnte. Er liest den Mitspielern die Personenbeschreibung vor und erklärt, warum gerade dieses Buch das richtige Geschenk für diese Person ist. Sind die Mitspieler überzeugt, darf die Karte abgelegt werden. Sind die Mitspieler nicht überzeugt, gilt das Buch als nicht verschenkt. Der Spieler zur Rechten würfelt und versucht, eine seiner Personen zu beschenken.

Sieger ist, wer zuerst für seine beiden Personen ein Geschenk gefunden hat.

> *Das Buch wird ihr/ihm sicher gefallen, weil ...*
> *Sie/Er hat ganz bestimmt Freude an diesem Buch, denn ...*
> *Mit Sicherheit mag sie/er dieses Buch, weil ...*
> *Ich bin ganz sicher, dass ihr/ihm dieses Buch gefallen wird, weil ...*

`AB`

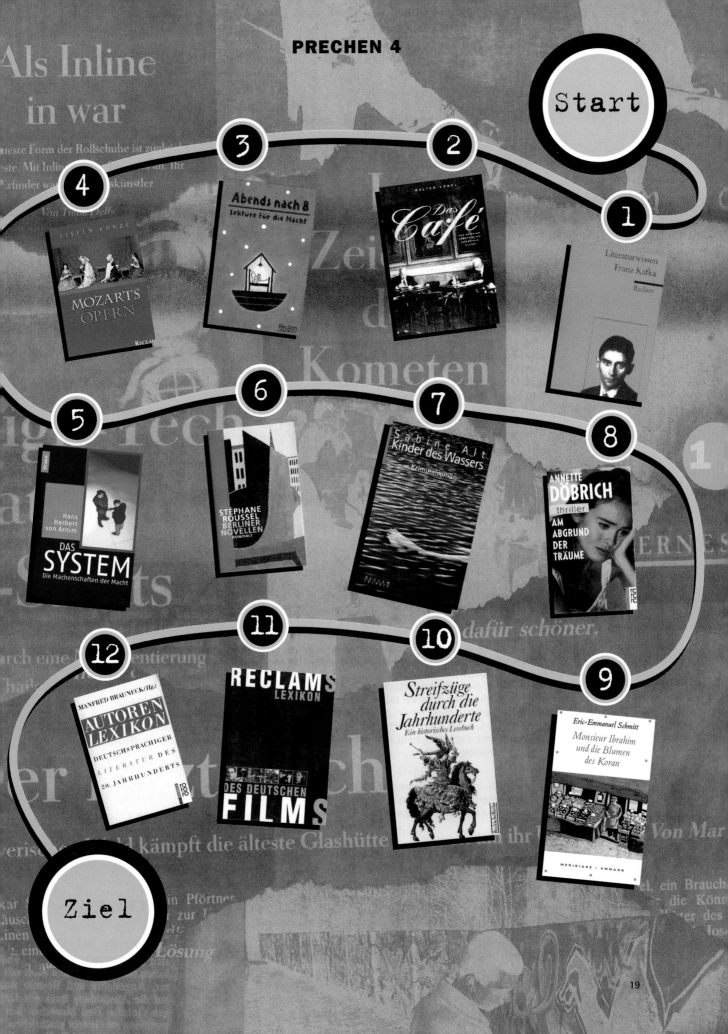

LESEN 2

__1__ Was gehört in Ihrem Heimatland zu hohem Lebensstandard?

hoher Lebensstandard bei uns	gutes Leben im Gedicht
ein Haus mit Swimmingpool	Villa im Grünen

AB

__2__ Lesen Sie das Gedicht und ergänzen Sie die Stichworte im Kasten oben.

Das Ideal

Ja, das möchste:
Eine Villa im Grünen mit großer Terrasse,
vorn die Ostsee, hinten die Friedrichstraße;
mit schöner Aussicht, ländlich-mondän,
5 vom Badezimmer ist die Zugspitze zu sehn –
aber abends zum Kino hast du's nicht weit.
Das Ganze schlicht, voller Bescheidenheit:

Neun Zimmer, – nein, doch lieber zehn!
Ein Dachgarten, wo die Eichen drauf stehn,
10 Radio, Zentralheizung, Vakuum,
eine Dienerschaft, gut gezogen und stumm,
eine süße Frau voller Rasse und Verve –
(und eine fürs Wochenend, zur Reserve) –,
eine Bibliothek und drumherum
15 Einsamkeit und Hummelgesumm.

Im Stall: Zwei Ponys, vier Vollbluthengste,
acht Autos, Motorrad – alles lenkste
natürlich selber – das wär' ja gelacht!
Und zwischendurch gehst du auf Hochwildjagd.

20 Ja, und das hab' ich ganz vergessen:
Prima Küche – bestes Essen –
alte Weine aus schönem Pokal –
und egalweg bleibst du dünn wie ein Aal.
Und Geld. Und an Schmuck eine richtige Portion.
25 Und noch 'ne Million und noch 'ne Million.
Und Reisen. Und fröhliche Lebensbuntheit.
Und famose Kinder. Und ewige Gesundheit.

Ja, das möchste!
Aber wie das so ist hienieden:
30 manchmal scheint's so, als sei es beschieden
nur pöapö, das irdische Glück,
Immer fehlt dir irgendein Stück.
Hast du Geld, dann hast du nicht Käten;
Hast du die Frau, dann fehl'n dir Moneten –
35 hast du die Geisha, dann stört dich der Fächer:
bald fehlt uns der Wein, bald fehlt uns der Becher.
Etwas ist immer.

Tröste dich.
Jedes Glück hat einen kleinen Stich.
Kurt Tucholsky 40 Wir möchten so viel: Haben. Sein. Und gelten.
(1927) Dass einer alles hat: das ist selten.

möchste: möchtest du

Friedrichstraße: Straße im Zentrum Berlins
mondän: elegant, weltstädtisch
die Zugspitze: höchster Berg in den
  Bayerischen Alpen

das Vakuum: hier: Staubsauger (veraltet)
die Dienerschaft: Hauspersonal, z.B. Putzfrau,
  Köchin
gut gezogen: gehorsam, treu
die Verve (französisch): Begeisterung, Schwung
die Hummel: Insekt, fliegt im Sommer
  summend zu Blüten
der Hengst: männliches Pferd
das Vollblut: Pferd aus reiner Zucht

das Hochwild: z.B. Elch, Hirsch

der Pokal: kostbares Glas, Trinkgefäß
der Aal: langer, schlangenförmiger Fisch
egalweg: trotzdem

famos: gut, prima

hienieden: hier auf der Erde
beschieden: zugeteilt
pöapö (französisch: peu à peu): in kleinen
  Schritten
Käten: Käthe (Frauenname) im Akkusativ
die Moneten: Geld
die Geisha: japanische Gesellschafterin
der Fächer: zusammenfaltbares Gerät zum
  Windmachen

__3__ Aufgaben zum Gedicht

a Welche Begriffe passen zu einem Gedicht?

☐ der Absatz ☐ die Linie ☐ der Reim ☐ die Strophe ☐ der Vers ☐ der Vorspann

b Geben Sie Beispiele für diese Begriffe aus dem Tucholsky-Gedicht.

c Das Gedicht spricht über Wunsch und Wirklichkeit. Markieren Sie die Grenze im Gedicht.

d Im Gedicht kommt die Perspektive eines Mannes zum Ausdruck. Woran erkennt man das?

__1__ Sehen Sie sich den Text unten kurz an.

a Kreuzen Sie vor dem genauen Lesen an, welche Elemente auf den Inhalt vorbereiten.

b Schreiben Sie daneben, welche Erwartungen Sie daraus ableiten.

Elemente des Textes	meine Erwartung
☒ Bildmaterial, z.B. Fotos	*es geht um einen Mann, circa 40 Jahre alt*
☐ Bildunterschriften, so genannte Bildlegenden	
☐ Überschrift	
☐ Layout, d.h. wie sieht der Text aus	

Eigenhändige Vita Kurt Tucholskys

für den Einbürgerungsantrag zur Erlangung der schwedischen Staatsbürgerschaft

Kurt Tucholsky (1890-1935), Journalist, Schriftsteller, Demokrat

Kurt Tucholsky wurde am 9. Januar 1890 als Sohn des Kaufmanns Alex Tucholsky und seiner Ehefrau, Doris, geborene Tucholski [1], in Berlin geboren. Er besuchte Gymnasien in Stettin und in Berlin und bestand im Jahre 1909 die Reifeprüfung. Er studierte in Berlin und in Genf Jura und promovierte im Jahre 1914 in Jena *cum laude* [2] mit einer Arbeit über Hypothekenrecht.

Im April 1915 wurde T. zum Heeresdienst eingezogen; er war dreieinhalb Jahre Soldat (die Papiere über seine Militärzeit liegen bei). Zuletzt ist T. Feldpolizeikommissar bei der Politischen Polizei in Rumänien gewesen.

Nach dem Kriege war T. unter Theodor Wolff, dem Chefredakteur des *Berliner Tageblatt*, Leiter der humoristischen Beilage dieses Blattes, des *Ulk*, vom Dezember 1918 bis zum April 1920. Während der Inflation, als ein schriftstellerischer Verdienst in Deutschland nicht möglich gewesen ist, nahm T. eine Anstellung als Privatsekretär des früheren Finanzministers Hugo Simon an (in der Bank Bett, Simon und Co.).

Im Jahre 1924 ging T. als fester Mitarbeiter der Berliner Wochenschrift *Die Weltbühne* und der *Vossischen Zeitung* nach Paris, wo er sich bis zum Jahre 1929 aufhielt.

Nachdem T. bereits als Tourist längere Sommeraufenthalte in Schweden genommen hatte (1928 in Kivik, Skåne, und fünf Monate im Jahre 1929 bei Mariefred), mietete er im Sommer 1929 eine Villa in Hindås, um sich ständig in Schweden niederzulassen. Er bezog das Haus, das er ab 1. Oktober 1929 gemietet hat, im Januar 1930 und wohnt dort ununterbrochen bis heute. Er hat sich in Schweden schriftstellerisch oder politisch niemals betätigt. Zahlreiche Reisen, die zu seiner Information und zur Behebung eines hartnäckigen Halsleidens dienten, führten ihn nach Frankreich, nach England, nach Österreich und in die Schweiz. Sein fester Wohnsitz ist seit Januar 1930 Hindås gewesen, wo er seinen gesamten Hausstand und seine Bibliothek hat.

T. hat im Jahre 1920 in Berlin Fräulein Dr. med. Else Weil geheiratet; die Ehe ist am 14. Februar 1924 rechtskräftig geschieden. Am 30. August 1924 hat T. Fräulein Mary Gerold geheiratet; die Ehe ist am 21. August 1933 rechtskräftig geschieden. T. hat keine Kinder sowie keine unterstützungsberechtigten Verwandten, die seinen Aufenthalt in Schweden gesetzlich teilen könnten.

[1] Tucholskys Mutter hieß zufällig vor ihrer Heirat auch schon Tucholski.

[2] zweitbeste Note bei einer Promotion

2 Erschließen Sie die Bedeutung unbekannter Wörter

ⓐ aus dem Kontext

Versuchen Sie, das unbekannte Wort aus einem anderen Teil
im Text – aus dem so genannten Kontext – zu verstehen.
Sehen Sie sich die Beispiele im Kasten unten an.
Suchen Sie im Text ein weiteres Beispiel.

unbekanntes Wort	Kontext
promovierte	*studierte, Note, Arbeit*

ⓑ aus der Wortbildung

Ergänzen Sie die unbekannten Wörter unten ohne Wörterbuch.
Zerlegen Sie dazu jedes Wort in seine Teile.
Suchen Sie im Text weitere Beispiele.

Zeile	unbekanntes Wort	Bedeutung aus der Wort-bildung erschlossen
Z. 15/16 Z. 17	eigenhändige Hypothekenrecht Heeresdienst Chefredakteur humoristischen Beilage ununterbrochen zahlreiche unterstützungsberechtigten	*mit eigener Hand* .

3 Ergänzen Sie Informationen aus dem Text.

ⓐ Geburtsdatum:_____
ⓑ Geburtsort: _____
ⓒ Eltern: _____
ⓓ Familienstand:_____
ⓔ Kinder: _____
ⓕ Schulabschluss: _____
ⓖ Studienfach: _____

ⓗ Studienorte: _____
ⓘ Studienabschluss: _____
ⓙ Note: _____
ⓚ Berufstätigkeit: _____
    1918–1920 _____
    1923 (während der Inflationszeit) _____
    1924–1929 _____

GR 4 Ergänzen Sie in der Tabelle Adjektive aus dem Text.   GR S. 25/1, 26/6

Adjektiv beim Nomen	Adjektiv beim Verb = Adverb
humoristischen Beilage	*ständig niederzulassen*

AB

GR 5 Wortbildung der Adjektive

Suchen Sie im Text die Adjektive mit einer Nachsilbe und
erklären Sie die Wortbildung.

Beispiel	Grundwort	Nachsilbe
humoristisch	*der Humor*	*(ist)isch*

AB

GR 6 Welche Endungen helfen Ihnen, die Bedeutung der Worte zu verstehen?   ÜG S. 18
Beispiel: *zahlreich*

SCHREIBEN 2

___1___ Was ist typisch für die Textsorte ausführlicher Lebenslauf?

Kreuzen Sie jeweils das Richtige an.

	Merkmal	richtig	falsch
(a)	Er beginnt mit einer Anrede.		X
(b)	Er beginnt mit der Überschrift „Lebenslauf".	X	
(c)	Er ist ein bis zwei Seiten lang.		
(d)	Er wird in der Ich-Form geschrieben.		
(e)	Er nennt Namen der Eltern sowie den Geburts- und den Wohnort.		
(f)	Er beschreibt die berufliche Entwicklung.		
(g)	Er wird häufig mit der Hand geschrieben.		
(h)	Er soll sauber und fehlerfrei geschrieben sein.		
(i)	Er beschreibt den Charakter einer Person.		
(j)	Er beschreibt das Aussehen einer Person.		
(k)	Er nennt den Grund für eine Ehescheidung.		
(l)	Er gibt Auskunft über Schulbildung und Ausbildung.		
(m)	Er nennt die Namen von Freunden und Bekannten.		
(n)	Er gibt Auskunft über die finanziellen Verhältnisse.		
(o)	Er gibt Auskunft über Mitgliedschaften, Tätigkeiten und Interessen außerhalb des Berufes.		
(p)	Er informiert über Urlaubsreisen.		
(q)	Er informiert über Auslandsaufenthalte, z.B. für Sprachkurs, Studium usw.		
(r)	Er nennt am Ende die aktuelle familiäre und berufliche Situation.		
(s)	Er endet mit Datum und Unterschrift.		
(t)	Er endet mit einer Grußformel.		

___2___ Schreiben Sie Ihren ausführlichen Lebenslauf.

Schreiben Sie in der *Ich*-Form. Informieren Sie darüber,

(a) wo und wann Sie geboren sind,
(b) an welchen Orten Sie gelebt haben,
(c) wo Sie zur Schule gegangen sind,
(d) wann und mit welchem Abschluss Sie die Schule beendet haben,
(e) wie Ihr Familienstand ist.

Falls das für Sie zutrifft, schreiben Sie auch,

(f) welche Ausbildung Sie nach der Schule gemacht haben,
(g) welchen Beruf Sie ausüben,
(h) wo Sie beschäftigt waren bzw. sind.

Ich, ..., wurde am ...
in ... geboren.
besuchte die Schule
bestand/machte die Prüfung
begann eine Ausbildung als
schloss meine Ausbildung ab
habe eine Stelle als
arbeite als
bin tätig als

___3___ Lesen Sie Ihren Text nach dem Schreiben durch.

Kontrollieren Sie:

(a) Haben Sie alle relevanten Punkte behandelt?
(b) Haben Sie einige der angegebenen Redemittel verwendet?

AB

RHEINSBERG
EIN
BILDERBUCH
FÜR VERLIEBTE

1 Sie hören mehrere kurze Interviews.
- **a** Worum geht es?
- **b** Wer spricht?

2 Lesen Sie die Aussagen unten.

Kreuzen Sie während des zweiten Hörens an: Wer sagt was über Tucholsky?

	Er war politisch engagiert.	Er starb im vergangenen Jahrhundert.	Seine Texte spielen heute noch eine Rolle.	Seine Texte sind humorvoll.
Person 1				
Person 2				
Person 3				
Person 4				

3 Die Radiosendung, die Sie gleich hören, trägt den Titel:

Große Journalisten – Kurt Tucholsky

Welche Informationen erwarten Sie?

4 Lesen Sie die Fragen **a** – **d**. Hören Sie den Text dazu und lösen Sie die Aufgaben durch Ankreuzen oder Stichworte.

Abschnitt 1 **a** Was ist mit Rheinsberg gemeint.
- ☐ Ein Bilderbuch. ☐ Ein Roman. ☐ Ein Vorort von Berlin.

b War Rheinsberg erfolgreich? Ja ☐ Nein ☐

c Wer spricht in dieser kleinen Szene? Wer sind die Personen? ....

d Worum geht es in der Szene? ....

5 Lesen Sie die Fragen **e** – **i**. Hören Sie den Text dazu und lösen Sie die Aufgaben.

Abschnitt 2 **e** Wodurch wird Tucholsky Redakteur bei der Zeitschrift „Schaubühne"?
- ☐ Er liest viel Theaterkritiken.
- ☐ Er macht eine Lehre bei der Theaterzeitschrift.
- ☐ Er schickt dem Herausgeber eine Theaterkritik, die er geschrieben hat.

f Welche Einstellung hatte er zum Militärdienst?
- ☐ Der Miltärdienst war schrecklich für ihn. ☐ Er hat den Militärdienst verweigert.
- ☐ Er war begeistert davon.

g Wie verhielt er sich als Soldat? ....

h Warum nahm Tucholsky eine Stelle in einer Bank an? ....

i Was machte Tucholsky beim Bankhaus Bett, Simon und Co?
- ☐ Eine Banklehre. ☐ Er arbeitete als Privatsekretär.
- ☐ Er war Geschäftsführer.

6 Lesen Sie die Fragen **j** – **n** und lösen Sie die Aufgaben.

Abschnitt 3 **j** Wo war Tucholsky 1926? ....

k Welche Stellung hatte er als Schriftsteller in Deutschland Ende der zwanziger Jahre erreicht?

l Was wurde aus Tucholskys schriftstellerischer Arbeit im Exil? ....

m Welche Einstellung hatte er Deutschland gegenüber im Exil? ....

n Auf welche Weise nahm er sich das Leben? ....

AB

GRAMMATIK – *Adjektive*

<u>1</u> Stellung der Adjektive im Satz

a vor dem Nomen – attributiv: mit Endung
Beispiel: *ein erfolgreicher Schriftsteller*

b am Satzende – prädikativ: ohne Endung
Beispiel: *Der Schriftsteller war erfolgreich.*

Viele dieser Ausdrücke können als Adjektiv und als Adverb verwendet werden:

der ständige *Anstieg (Adjektiv)*
die ständig *steigende Zahl (Adverb)*
Die Zahl steigt ständig. *(Adverb)*

<u>2</u> Adjektivendungen   ÜG S. 30–35

	Singular			Plural
	maskulin	neutrum	feminin	
NOM	der Mann	das Ziel	die Gesellschaft	die Ziele
	starker Mann	neues Ziel	gute Gesellschaft	neue Ziele
	der starke Mann	das neue Ziel	die gute Gesellschaft	die neuen Ziele
	ein starker Mann	ein neues Ziel	eine gute Gesellschaft	neue Ziele
AKK	den Mann			
	starken Mann			
	den starken Mann			
	einen starken Mann			
DAT	dem Mann	dem Ziel	der Gesellschaft	den Zielen
	starkem Mann	neuem Ziel	guter Gesellschaft	neuen Zielen
	dem starken Mann	dem neuen Ziel	der guten Gesellschaft	den neuen Zielen
	einem starken Mann	einem neuen Ziel	einer guten Gesellschaft	neuen Zielen
GEN	des Mannes	des Ziels	der Gesellschaft	der Ziele
	starken Mannes	neuen Ziels	guter Gesellschaft	neuer Ziele
	des starken Mannes	des neuen Ziels	der guten Gesellschaft	der neuen Ziele
	eines starken Mannes	eines neuen Ziels	einer guten Gesellschaft	neuer Ziele

<u>3</u> Signale in der Nomengruppe mit Adjektiv

In einer Nomengruppe sind Nomen, Artikel und Adjektiv in Numerus, Genus und Kasus aufeinander abgestimmt. Trägt der Artikel das Kasus-Signal, nimmt das Adjektiv die Endung -e oder -en.
Beim Genitiv Singular maskulin und neutrum ohne Artikel trägt das Adjektiv kein Kasus-Signal. Hier trägt das Nomen -s als eindeutiges Kasus-Signal.

<u>4</u> Indefinitpronomen und substantiviertes Adjektiv

irgendetwas Neues
nichts Genaues

5 Adjektive mit festen Präpositionen

a Präpositionen mit Dativ

an	bei	in	mit	von	zu
arm	angesehen	gut	befreundet	(un)abhängig	bereit
interessiert	(un)beliebt	(un)erfahren	beschäftigt	entfernt	entschlossen
schuld			einverstanden	enttäuscht	(un)fähig
			verheiratet	überzeugt	nett

b Präpositionen mit Akkusativ

an	auf	für	in	über
adressiert	angewiesen	bekannt	unterteilt	beunruhigt
gewöhnt	eifersüchtig	charakteristisch	verliebt	erfreut
	gespannt	dankbar		erstaunt
	neugierig	entscheidend		(un)glücklich
				traurig

6 Wortbildung des Adjektivs

ÜG S. 46

a Ableitung: Bildung von Adjektiven aus Nomen und Verben durch Nachsilben

Nachsilben	Beispiel	Nachsilben	Beispiel
-lich	*ordentlich*	-abel	*praktikabel*
	schriftlich	-ant	*arrogant*
	menschlich	-ent	*intelligent*
-isch	*altmodisch*	-ibel	*sensibel*
	chronisch	-ell	*manuell*
	griechisch, lateinisch	-iell	*potenziell*
-bar	*spürbar*	-iv	*depressiv*
-ig	*notwendig*	-ös	*nervös*

b Zusammensetzung: zwei oder mehr Wörter bilden ein neues Adjektiv

hell + grau > hellgrau	Adjektiv + Adjektiv
lernen + willig > lernwillig	Verb + Adjektiv
die Anpassung + fähig > anpassungsfähig	Nomen + Adjektiv
der Alkohol + frei > alkoholfrei	

c Negation: Bedeutungsänderung durch Vor- oder Nachsilben

Vorsilbe	Beispiel	Vor-/Nachsilbe	Beispiel
a-	atypisch	miss-	missverständlich
de-/des-/dis-	desillusioniert	non-	nonverbal
il-	illegitim	un-	unfähig
in-	instabil	-los	hilflos
ir-	irreal		

d Verstärkung: Bedeutungsänderung durch Vorsilben

Vorsilbe	Beispiel
top	topaktuell

7 Graduierung des Adjektivs

ÜG S. 40

Verstärkung	Verstärkung einer Negation	Abschwächung
unheimlich lustig	überhaupt nicht	recht jugendlich

1 Beschreiben Sie das Foto.

Beantworten Sie zunächst die so genannten
W-Fragen: Wer? Wo? Was?
Welche Wirkung hat dieses Foto auf Sie? Warum?

*Ich fühle mich von dem Bild (nicht)
angesprochen, weil ...
Das Bild lässt mich (nicht) kalt, weil ...
Das Bild bringt mich zum Lachen/Schmunzeln,
weil ...
Das Bild erinnert mich daran, ...*

2 Was kann ein Baby wann?
Markieren Sie die richtige Reihenfolge.

Alter in Monaten (Durchschnitt)	Meilensteine frühen Sprechens
3	erstes Wort nach *Mama/Papa*
14	kurze Gespräche
17	gebraucht *Mama/Papa* richtig
23	richtiger Gebrauch von *ich*
34	spricht Sätze aus zwei Wörtern
36	antwortet mit Lauten

AB

SPRECHEN 1

1 Sehen Sie sich die Zeichnungen an und ordnen Sie jedem Bild einen dieser Titel zu.

	1	2	3	4

a der haptische Lerner — *Deutsch zum Anfassen*
b der audio-visuelle Lerner — *Deutsch Stereo*
c der kommunikative Lerner — *Deutsch für Gesprächige*
d der kognitive Lerner — *Deutsch lernen mit Köpfchen*

2 Unterhalten Sie sich zu viert und diskutieren Sie anschließend in der Klasse.

a Wie viele Fremdsprachen sollte man beherrschen?
b Welches ist für Sie die beste Methode, eine Sprache zu lernen? Z.B. durch Lesen, durch Auswendiglernen, durch Kontakt mit Muttersprachlern etc.

3 Machen Sie eine Umfrage in der Klasse.
Stellen Sie fest,

a welche Muttersprachen gesprochen werden.
b welche Fremdsprachen gesprochen werden.
c wie viele *eine* Fremdsprache sprechen.
d wie viele *zwei* Fremdsprachen sprechen.
e wie viele *mehr* als *zwei* Fremdsprachen sprechen.

Muttersprachen	Fremdsprachen	Zahl der Fremdsprachen		
		eine	zwei	drei
spanisch	Deutsch			

4 Stimmen Sie den folgenden Aussagen zu?
Kreuzen Sie an und diskutieren Sie anschließend die Ergebnisse in Ihrer Klasse.

		ja	nein
a	Ich möchte immer korrigiert werden, wenn ich einen Fehler mache.	☐	☐
b	Ich spreche nicht gern vor der Klasse, weil ich Angst habe, Fehler zu machen.	☐	☐
c	Die Grammatik lernt man auch, wenn man viel Deutsch hört und spricht.	☐	☐
d	Um die Fremdsprache zu lernen, muss man vor allem Grammatik studieren.	☐	☐
e	Auswendiglernen ist für mich eine gute Methode, mir etwas zu merken.	☐	☐
f	Beim Lesen und Hören ist es wichtig, jedes Wort zu verstehen.	☐	☐
g	Ich spreche mehr Deutsch, wenn ich mit einer Partnerin/einem Partner oder in einer Gruppe arbeite.	☐	☐
h	Gruppenarbeit mag ich nicht, weil ich da so viel falsches Deutsch höre.	☐	☐

5 Ergebnisse der Diskussion festhalten

Formulieren Sie nun einige Tipps für Ihren Sprachkurs und hängen Sie diese als Poster in Ihrem Klassenzimmer auf.
Beispiel: *Beim Lesen und Hören ist es nicht wirklich wichtig, jedes Wort zu verstehen.*

LESEN 1

Fremdsprachen lernen für Europa – ja, aber wie?

__1__ Sehen Sie sich den Lesetext an.

Lesen Sie zuerst nur die Überschrift und den fett gedruckten Absatz daneben. Worum geht es in dem Text?

Ob auf Urlaubsreisen oder beim Surfen im Internet – wer Fremdsprachen spricht, kommt schneller an sein Ziel. Und wer beruflich etwas erreichen will, kann auf Fremdsprachen nicht ver-
5 **zichten. Vom künftigen Idealbürger Europas wird sogar erwartet, dass er sich in mindestens zwei Fremdsprachen unterhalten kann. Die Frage, wie man möglichst effektiv Fremdsprachen lernt, wird damit immer wichtiger. Experten haben inzwischen recht genau untersucht, was beim Sprachenlernen tatsächlich geschieht.**

In der Europäischen Union arbeiten
10 derzeit ungefähr zwölf Millionen Europäer außerhalb ihrer Heimatländer. Circa sechs Millionen leben als „Gastarbeiter", Flüchtlinge und Asylsuchende meist für längere
15 Zeit in Deutschland. Das Erlernen der deutschen Sprache ist für sie der Schlüssel zur Integration in ihrer neuen Umgebung. Ohne jeden Unterricht haben die meisten von
20 ihnen sich die Sprache dieser Umgebung angeeignet. An ihnen haben Linguisten beobachtet, was bei dem Vorgang des natürlichen Lernens ohne systematischen
25 Sprachunterricht, dem so genannten „ungesteuerten Fremdsprachenerwerb", passiert. Die vergleichenden Untersuchungen, die Forscher des Max-Planck-Instituts für Psy
30 cholinguistik in sechs europäischen Ländern durchgeführt haben, zeigen, dass drei Faktoren für das erfolgreiche Erlernen einer Sprache wichtig sind: die Lern
35 motivation, das eigene Sprachtalent und der Zugang, den man zu der fremden Sprache hat.

Die Forscher fanden heraus, dass sich die Ausländer die neue Spra
40 che rasch nach dem gleichen typischen Muster aneigneten: Zuerst lernten sie wichtige Nomen und Verben sowie die Personalpronomen *ich* und *du*. Endungen ließen
45 sie weg. In einer zweiten Stufe folgten Modalverben wie *müssen* und *können* und schließlich die Hilfsverben *haben* und *sein*. Dieser Lernprozess vollzieht sich inner
50 halb der ersten zwei Jahre. Danach konnten sich die untersuchten Personen meist nicht weiter sprachlich verbessern. Ihre Sprache „fossilierte", d.h. sie blieb auf
55 dem erreichten Niveau stehen.

Ganz anders ist dagegen die Situation bei den Kindern dieser Einwanderer. Diejenigen, die ihre Muttersprache bereits beherrsch
60 ten, lernten die Zweitsprache schneller und besser als ihre Eltern. Sie wachsen kontinuierlich in die fremdsprachliche Umgebung hinein. Aufgrund ihres ausge
65 prägten Spieltriebes fällt es ihnen leicht, die Freunde sprachlich zu imitieren. Ihre Angst vor Fehlern ist geringer als bei Erwachsenen. Zu diesen psychosozialen Aspek
70 ten kommt ein biologischer Faktor hinzu: Bis zum 12. Lebensjahr nimmt man Fremdsprachen besonders leicht auf, da das Gehirn bis dahin relativ leicht neue Nerven
75 verbindungen ausbildet. Auch das phonetische Repertoire ist noch offen und formbar; daher sprechen Kinder die zweite Sprache meist akzentfrei.

80 Erwachsene Lerner erfassen die komplexen Strukturen einer Sprache nicht mehr spontan durch einfaches Nachahmen. Während Kinder eher assoziativ lernen und
85 mehr auf Wortklänge reagieren, gehen Erwachsene eher analytisch vor. Sie vergleichen die Fremdsprache mit den Strukturen ihrer Muttersprache, übersetzen und
90 suchen bewusst nach Regeln. Ein weiterer Unterschied betrifft das Aufschreiben des Gehörten. Für Erwachsene ist es eine große Erinnerungshilfe, wenn sie sich
95 Dinge notieren können. Tests haben gezeigt, dass man sich bei gehörten Informationen an 10 Prozent erinnert, bei gelesenen an 30 Prozent und bei solchen, die
100 mit aktivem Verhalten zum Beispiel in Form des Aufschreibens oder des darüber Sprechens verbunden sind, an 90 Prozent.

Konsequenz für das Fremdspra
105 chenlernen: Es ist zu empfehlen, eine neue Sprache mehrere Wochen lang im Land selbst zu lernen. Für diejenigen, die sich das nicht leisten können, bleibt ein
110 Trost: Auch im heimischen Sprachkurs kann man einiges unternehmen, um in der Fremdsprache aktiv zu sein: Diskussionen führen, Projekte bearbeiten
115 sind nur zwei der zahlreichen Möglichkeiten. Dem Ideenreichtum von Lernern und Lehrern sind keine Grenzen gesetzt.

2 Hauptaussagen nach dem ersten Lesen
Notieren Sie die wichtigen Informationen aus dem Text
in folgenden Raster.

a ungesteuerter Fremdsprachenerwerb bedeutet:	*das natürliche Lernen ohne Unterricht*
b persönliche Faktoren für Lernerfolg:	1
	2
	3
c typischer Lernprozess beim ungesteuerten Spracherwerb:	
d Gründe, warum Kinder von Immigranten effizienter als ihre Eltern lernen:	1
	2
e Art zu lernen:	1 Kinder:
	2 Erwachsene:

3 Erarbeiten Sie weitere Einzelheiten.
Wie lauten die passenden Fragen zu den folgenden Antworten?

Antworten	Fragen
a „Gastarbeiter", Asylsuchende und Flüchtlinge	*Wer gilt in Deutschland als Ausländer?*
b bis zum 12. Lebensjahr	
c Notizen zu machen	
d an weniger als ein Drittel	
e dort, wo die Sprache gesprochen wird	

GR **4** Verben   GR S. 39/40

Arbeiten sie in Gruppen.

a Unterstreichen Sie im Text (Zeile 1 bis Zeile 103) die Verben
und ordnen Sie sie in das Schema ein.

Verben + Kasusergänzung			Verben + Präpositionalergänzung		
sprechen	*+ Akk*	*was?*	*verzichten auf*	*+ Akk*	*wen?/was?*
erreichen	*+ Akk*	*was?*			

AB

b Unterstreichen Sie im Text ab Zeile 56 Verben, die mit
nicht trennbaren Vorsilben gebildet sind, und ordnen Sie sie ein.

be-	emp-	er-	unter-	ver-
beherrschen				

AB

c Unterstreichen Sie im gesamten Text Verben, die mit trennbaren
Vorsilben gebildet sind, und ordnen Sie sie ein.

an-	auf-	aus-	durch-	weg-
sich aneignen				

AB

GR **5** Bedeutungsvarianten
Wie lauten die Grundverben in Aufgabe 4 **b** und **c**? Wodurch wird
die Bedeutung des Grundverbs mehr variiert, durch die nicht trennbare
oder durch die trennbare Vorsilbe?
Geben Sie zwei Beispiele.

AB

HÖREN

<u>1</u>   In welchen Ländern ist Deutsch Landes- und Amtssprache?

<u>2</u>   Fachausdrücke
Erklären Sie folgende Begriffe.

Begriff	Erklärung
die Amtssprache	*Sprache, die in offiziellen Dokumenten verwendet wird*
die Hochsprache	
die Umgangssprache	
der Dialekt	

<u>3</u>   Sehen Sie sich die Karte an.
Markieren Sie, in welchem Teil
der Schweiz wohl Deutsch
gesprochen wird.

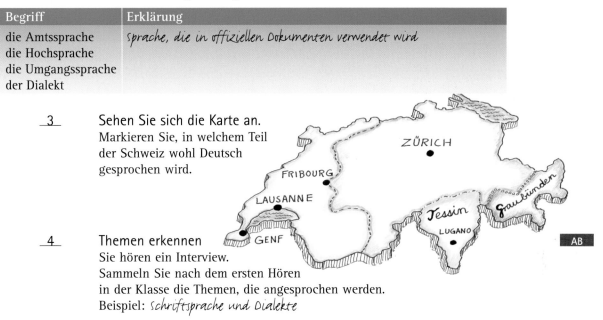

<u>4</u>   Themen erkennen
Sie hören ein Interview.
Sammeln Sie nach dem ersten Hören
in der Klasse die Themen, die angesprochen werden.
Beispiel: *Schriftsprache und Dialekte*

AB

<u>5</u>   Notizen machen
Lesen Sie vor dem zweiten Hören die Stichworte auf dem Notizblatt
unten. Notieren Sie während des Hörens die Informationen dazu.

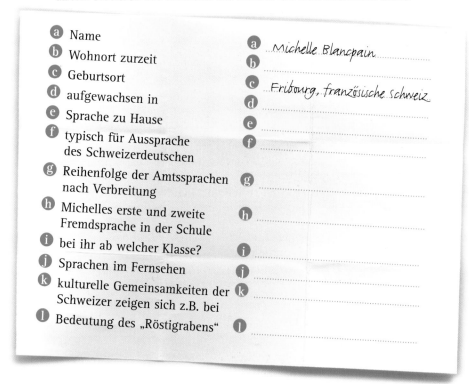

<u>6</u>   Berichten Sie kurz über die Sprachen in Ihrem Heimatland.
Verwenden Sie dazu die Begriffe aus Aufgabe 2.

AB

31

WORTSCHATZ

1 Erinnerungstechnik

a Die Klasse teilt sich in zwei Gruppen. Die eine Hälfte der Klasse sieht sich die 16 Wörter unten an und versucht sie sich zu merken, die andere Hälfte der Klasse schließt das Buch und versucht die 16 Wörter im Arbeitsbuch zu behalten. Sie haben dafür 30 Sekunden Zeit. Schließen Sie dann die Bücher und notieren Sie auf einem Blatt Papier die Wörter, an die Sie sich noch erinnern.

Musiker —	Auto —	Mechaniker —	unterrichten
spielen —	Lehrer —	Flasche —	Werkstatt
Säugling —	Tafel —	Konzertsaal —	füttern
Mutter —	Klavier —	reparieren —	Mathematik

AB

b Vergleichen Sie und diskutieren Sie anschließend.

- Wie viele Wörter haben Sie notiert? Sind alle richtig?
- Wie haben Sie sich die Wörter gemerkt?
- An wie viele Wörter hat sich die Gruppe „Kursbuch" im Durchschnitt erinnert, an wie viele die Gruppe „Arbeitsbuch"? Gibt es Unterschiede?

c Die Gruppen hatten die gleichen Wörter, allerdings in unterschiedlicher Anordnung. Vergleichen Sie die Anordnungen. Was fällt Ihnen dabei auf? Was bedeuten diese Ergebnisse für das Lernen von Wörtern?

2 Die Vokabelkartei

Mit einer Vokabelkartei können Sie neue Wörter auf vielfältige Weise üben, wiederholen, im Sinnzusammenhang lernen, nach Belieben ordnen, die Ordnung umstrukturieren usw.

a Was schreiben Sie auf eine Karteikarte?

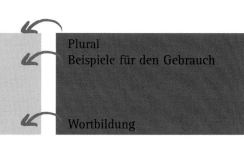

Rückseite: Übersetzung in der Muttersprache	der Erfolg, -e ein voller (großer) Erfolg ein Riesenerfolg Erfolg haben (im Beruf) einen Erfolg erzielen Adj: erfolgreich, erfolglos	Plural Beispiele für den Gebrauch Wortbildung

b Erstellen Sie zu zweit Karteikarten zu jeweils zwei der folgenden Wörter.

beibringen	das Muster	ausgeprägt
verlangen	die Vereinbarung	künftig
stottern	die Unterbringung	überzeugt

3 Wortfelder erarbeiten

Dabei suchen Sie zu einem Wort passende andere Begriffe und schließlich einen gemeinsamen Oberbegriff. Arbeiten Sie zu zweit.

Oberbegriff	Unterrichtsmaterial	Pflanzen		
Beispiel	Lehrbuch		Hotel	Waschmaschine
passende Begriffe	Kassetten Arbeitsbuch Wörterbuch Stifte			

SCHREIBEN 1

__1__ Lesen Sie die folgende Anzeige aus einer Tageszeitung.

Sprachtraining für Erwachsene,
Vorsprung mit Fremdsprachen:
Berufsspezifische Einzel-, Crash- und
Hochintensivkurse für
Fach- und Führungskräfte.
Intensiv- und Ferienkurse weltweit.
Anerkannt als Bildungsurlaub.

ABC

Erwachsenen-
Programm

Der Weg
zum Erfolg!

Sprachreisen

Bitte fordern Sie unsere ausführlichen Unterlagen an:
ABC-Sprachreisen · Fürstenstr. 13 · 70913 Stuttgart
Tel. 0711/94 06 78 · Fax 0711/94 06 799

__2__ Formeller Brief

Sie interessieren sich für eine Sprachreise und schreiben eine Anfrage an *ABC-Sprachreisen*. Dazu finden Sie unten einige Sätze. Markieren Sie, welche der folgenden Textbausteine (a, b oder c) Sie für Ihren Brief verwenden können. Es passt immer nur ein Satz.

Anrede
- a) Hallo,
- b) Liebe Frau ...,
- c) Sehr geehrte Damen und Herren,

Worum geht es?
- a) ich danke Ihnen für Ihr Interesse an Sprachreisen.
- b) ich habe gerade Ihre Anzeige in der Zeitung gelesen.
- c) ich freue mich, dass Sie mir so ein günstiges Angebot machen können.

Was will ich?
- a) Ich interessiere mich für einen Deutschkurs für Erwachsene. Als Zusatzangebot wünsche ich mir ein abwechslungsreiches Sportprogramm (möglichst Segeln oder Reiten).
- b) Ich bin 21 Jahre alt und kann schon ziemlich gut Deutsch. Meine Hobbys sind Segeln und Reiten.
- c) Können Sie mir bitte mitteilen, ob Sie auch Kurse für Erwachsene haben, wo man auch reiten oder segeln oder Ähnliches kann.

Was muss passieren?
- a) Ich würde mich freuen, wenn Sie Interesse an meinem Angebot hätten, und verbleibe ...
- b) Bitte schicken Sie mir Ihren Katalog an die oben angegebene Adresse.
- c) Ich hoffe, Sie können mir ein günstiges Angebot machen.

Gruß
- a) Alles Liebe
- b) Hochachtungsvoll
- c) Mit freundlichen Grüßen

__3__ Notieren Sie in der Übersicht, aus welchem Grund die beiden anderen Sätze für Ihren Brief nicht passen.

passt sprachlich nicht	Begründung	passt inhaltlich nicht	Begründung
a) Hallo	Bei einem offiziellen Brief wählt man eine höfliche, distanzierte Anrede.	a) ich danke ...	In einer Anfrage will man etwas bekommen, man bedankt sich nicht.

__4__ Lesen Sie Ihren Brief in der Klasse vor.

AB

SCHREIBEN 2

1 Womit sind die vier Gäste unzufrieden?

2 Beschwerdebrief
Wählen Sie eine der vier Situationen aus und ergänzen Sie das folgende Schreiben an den Reiseveranstalter *ABC-Sprachreisen*.

Maria Sánchez Pension „Zur Schönen Aussicht" Reutlingen

ABC-Sprachreisen
Fürstenstr. 13
70913 Stuttgart

Reklamation:
Unterbringung in der Pension „Zur schönen Aussicht"

Sehr geehrte Damen und Herren,

ich habe bei Ihnen einen Intensivkurs gebucht
und befinde mich aus diesem Grund derzeit in Reutlingen.

Leider musste ich bei meiner Ankunft in der von Ihnen
vermittelten Pension „Zur schönen Aussicht" feststellen, dass die Unterbringung ganz und gar nicht
zufrieden stellend ist.

In Ihrem Katalog beschreiben Sie diese Pension als ...

In Wirklichkeit ...

In meinem Zimmer ...

Ein Gespräch mit Frau Stark, der Leiterin der Pension,
war leider ergebnislos. Ich muss Sie daher dringend
bitten ...

Andernfalls ...

Mit freundlichen Grüßen

<u>1</u> Sehen Sie sich die Stichworte an und sammeln Sie weitere Wörter und Begriffe.

   (a) Was wird sich ändern?
   (b) Wie wird es sich ändern?
   (c) Warum wird sich etwas ändern?
   (d) Werden Klassenzimmer und Lehrer überhaupt noch gebraucht?

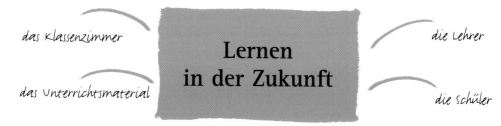

das Klassenzimmer   **Lernen in der Zukunft**   die Lehrer

das Unterrichtsmaterial   die Schüler

<u>2</u> Die Online-Schule – was ist das?

Sehen Sie sich die Skizze unten an und erklären Sie, wie diese moderne Schule funktioniert.

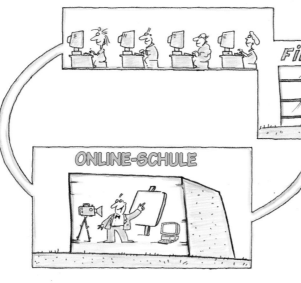

Per Computer-Netzwerk ist die Online-Schule mit ihren Schülern – Mitarbeitern von Firmen aus aller Welt – verbunden.

In einem Chat können sich die Lernenden auch untereinander austauschen.

Ein Online-Tutor korrigiert die elektronisch ein-gesandten Haus-aufgaben und schickt sie per E-Mail zurück.

<u>3</u> Kennen Sie ähnliche Systeme, z.B. Online-Kurse oder Fernkurse? Berichten Sie.

<u>4</u> Sammeln Sie Argumente: Was finden Sie an der Online-Schule gut, was nicht?

	Gut	Nicht gut
Kein Problem, wenn keine „normale Schule" in der Nähe ist		
Kontakt mit der Lehrkraft		
...		

<u>5</u> Diskussion

In der Übersicht auf der nächsten Seite finden Sie Redemittel, die Sie für eine Diskussion brauchen. Ordnen Sie folgende Intentionen in diese Übersicht ein.

das Wort ergreifen – Vorteile darstellen – etwas ablehnen –
eine Meinung ausdrücken – ein Gespräch beenden -
weitere positive Aspekte anführen

Intentionen	Redemittel
das Gespräch eröffnen	*Im Grunde geht es um die Frage: ...* *(Also,) es geht hier (doch) um Folgendes: ...*
	Ich würde gerne (direkt) etwas dazu sagen: ... *Darf ich dazu etwas sagen: ...*
	Ich bin der Meinung, dass ... *Ich denke, dass ...* *Ich bin davon überzeugt, dass ...*
etwas richtig stellen	*Sie sehen die Sache nicht ganz richtig.* *Also, so kann man das nicht sagen.* *Vielleicht habe ich mich nicht klar genug ausgedrückt.*
	Unser Unterricht ist doch viel besser als ... *Sie sollten mal zu uns kommen und sehen ...* *In unserer Schule wird besonderer Wert auf ... gelegt.*
	Dazu kommt der Vorteil, ... *Wir dürfen außerdem nicht vergessen, dass ...* *Ein weiterer wichtiger Punkt ist ...*
	Die Idee, ... zu lernen, gefällt mir gar nicht. *Ich finde das Argument, ... , nicht überzeugend.* *Ich finde es schrecklich, dass ...*
Zweifel ausdrücken	*Also, ich bezweifle, dass ...* *Ich glaube kaum, dass ...*
	Wir sollten jetzt langsam zum Ende kommen. *Also, ich muss sagen, Sie haben mich (nicht) überzeugt.*

___6___   Rollenspiel

Rolle 1: Vertreter einer traditionellen Sprachenschule	Rolle 2: Mitarbeiter der Online-Schule
Auftrag:	Auftrag:
ⓐ Vorteile des traditionellen Unterrichts anführen ⓑ Argumente gegen den Unterricht per Online-Schule darlegen	ⓐ Vorteile des Unterrichts per Computer anführen ⓑ Argumente gegen den traditionellen Unterricht in Kursen darlegen

LESEN 2

1 In welchem Alter haben Sie angefangen, Deutsch zu lernen?

Ist das Ihrer Meinung nach ein gutes Alter? Warum?

2 Lesetraining
a Lesen Sie die Zeitungsmeldung.
b Decken Sie dann den Text zu und machen Sie sich Notizen darüber, was Sie gelesen haben.
c Wiederholen Sie mündlich den Inhalt des Textes.

> **CHANTELLE COLEMAN**, vierjährige Britin mit einem IQ von 152, hat in nur drei Monaten Deutsch gelernt. Das Mädchen hörte die Sprache zum ersten Mal, als deutsche Journalisten sie als jüngstes Mitglied eines Hochbegabten-Clubs interviewten. Sie brachte sich nach diesem ersten Kontakt mit dem Deutschen die Sprache selbst bei. „Es ist etwas schwierig, sie verlangt ihr Frühstück jeden Morgen auf Deutsch", sagte ihre Mutter, die nur Englisch spricht.

AB

3 Um was für eine Textsorte handelt es sich wohl bei dem folgenden Text? Warum?

☐ Aufsatz ☐ Autobiographie ☐ Zeitschriftenartikel
☐ Meldung aus der Zeitung/Bericht

4 Lesen Sie, wie der Schriftsteller Elias Canetti (1905–1994) Deutsch gelernt hat.

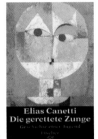

Die gerettete Zunge

Unsere Reise ging weiter in die Schweiz, nach Lausanne, wo die Mutter für den Sommer einige Monate Station machen wollte. Ich war acht Jahre alt, ich sollte in Wien
in die Schule kommen, und meinem Alter entsprach dort die 3. Klasse der Volksschule. Es war
5 für die Mutter ein unerträglicher Gedanke, daß man mich wegen meiner Unkenntnis der Sprache vielleicht nicht in diese Klasse aufnehmen würde, und sie war entschlossen, mir in kürzester Zeit Deutsch beizubringen. Nicht sehr lange nach unserer Ankunft gingen wir in eine Buchhandlung, sie fragte nach einer englisch-deutschen Grammatik, nahm das erste Buch, das man ihr gab, führte mich sofort nach Hause zurück und begann mit ihrem Unterricht. Wie soll ich die Art dieses Unterrichts glaubwürdig schildern? Ich weiß, wie es
10 zuging, wie hätte ich es vergessen können, aber ich kann auch selbst noch immer nicht daran glauben.
Wir saßen im Speisezimmer am großen Tisch, ich saß an der schmäleren Seite, mit der Aussicht auf See und Segel. Sie saß um die Ecke links von mir und ...

In der hier fehlenden Textpassage beschreibt Canetti, wie seine Mutter ihm die deutsche Sprache beibrachte.

Am nächsten Tag saß ich wieder am selben Platz, das offene Fenster vor mir, den See und die Segel. Sie nahm die Sätze vom Vortag wieder her, ließ mich einen nachsprechen und fragte, was er bedeutet. Mein Unglück woll-
15 te es, daß ich mir seinen Sinn gemerkt hatte, und sie sagte zufrieden: „Ich sehe, es geht so!" Aber dann kam die Katastrophe, und ich wußte nichts mehr, außer dem ersten hatte ich mir keinen einzigen Satz gemerkt. Ich sprach sie nach, sie sah mich erwartungsvoll an, ich stotterte und verstummte. Als es bei einigen so weiterging, wurde sie zornig und sagte: „Du hast dir doch den ersten gemerkt, also kannst du's. Du willst nicht. Du willst in Lausanne bleiben. Ich lasse dich allein in Lausanne zurück. Ich fahre nach Wien, und Miss Bray* und
20 die Kleinen nehme ich mit. Du kannst allein in Lausanne bleiben!"
Ich glaube, daß ich das weniger fürchtete als ihren Hohn. Denn wenn sie besonders ungeduldig wurde, schlug sie die Hände über dem Kopf zusammen und rief: „Ich habe einen Idioten zum Sohn? Das habe ich nicht gewußt, daß ich einen Idioten zum Sohn habe!" oder „Dein Vater hat doch auch Deutsch gekonnt, was würde dein Vater dazu sagen?" (...)
25 Ich lebte nun in Schrecken vor ihrem Hohn und wiederholte mir untertags, wo immer ich war, die Sätze. Bei den Spaziergängen mit der Gouvernante war ich einsilbig und verdrossen. Ich fühlte nicht mehr den Wind, ich hörte nicht auf die Musik, immer hatte ich meine deutschen Sätze im Kopf und ihren Sinn auf englisch. Wann ich konnte, schlich ich mich auf die Seite und übte sie laut allein, wobei es mir passierte, daß ich einen Fehler, den ich einmal gemacht hatte, mit derselben Besessenheit einübte wie richtige Sätze.

* die englische Gouvernante, d.h. Kinderfrau der Familie Canetti

__5__ Ergänzen Sie die Informationen aus dem Text sowie
die entsprechende Textstelle.

Frage	Antwort	Belege
Wann spielt die Handlung?	als Canetti acht war, vor dem Ersten Weltkrieg, 1913	Lebensdaten Canettis, Zeile 3
Wo spielt sie?		
Wer sind die Personen?		
Warum soll der Erzähler Deutsch lernen?		

__6__ Der Text enthält indirekte, so genannte implizite, Informationen.

Was erfahren wir zum Beispiel über

a den Vater des kleinen Canetti?
b das Verhältnis von Mutter und Sohn?
c die finanziellen Verhältnisse der Familie?

__7__ Schreiben Sie die fehlende Textpassage in drei bis vier Sätzen.

Vergleichen Sie Ihre Vorschläge in der Klasse. Lesen Sie erst zum
Schluss die Auflösung unten.

__8__ Hat die Methode der Mutter funktioniert?

Was glauben Sie? Warum?

__9__ Lesen Sie die Informationen über Canetti.

Wie viele Sprachen konnte er mindestens?

1905	in Rustschuk in Bulgarien geboren als Sohn spanisch-jüdischer Eltern
1911	zog die Familie nach Manchester, seit dieser Zeit sprach er zu Hause nicht mehr Spagnolo und Bulgarisch, sondern Englisch
1913	mit der Mutter Übersiedlung nach Wien, 1916 nach Zürich, 1921 nach Frankfurt a. M.
1977	erschien seine Autobiographie *Die gerettete Zunge*

_GR_ _10_ Welche Struktur und Funktion hat das Wort *daran* in Zeile 10 des
Textes?   `AB`

Auflösung zu Aufgabe 7

hielt das Lehrbuch, in das ich nicht hineinsehen konnte. Sie hielt es immer fern von mir. „Du brauchst es doch
nicht", sagte sie, „du kannst sowieso nichts verstehen." Aber dieser Begründung zum Trotz empfand ich, daß sie
mir das Buch vorenthielt wie ein Geheimnis. Sie las mir einen Satz deutsch vor und ließ mich ihn wiederholen. Da
ihr meine Aussprache mißfiel, wiederholte ich ihn paarmal, bis er ihr erträglich schien. Das geschah aber nicht
oft, denn sie verhöhnte mich für meine Aussprache, und da ich um nichts in der Welt ihren Hohn ertrug, gab ich
mir Mühe und sprach es bald richtig. Dann erst sagte sie mir, was der Satz auf englisch bedeute. Das aber wiederholte sie nie, das mußte ich mir sofort ein für allemal merken.

38

ÜG S. 90

1 Verben mit Präpositionen

ⓐ Präpositionen mit Dativ

an	auf	aus	bei	in
schuld sein Schuld haben teilnehmen zweifeln	basieren bestehen	sich ergeben folgen schließen	anrufen helfen	bestehen erfahren sein

mit	nach	von	vor	zu
anfangen aufhören sich beschäftigen diskutieren	sich erkundigen forschen fragen suchen	abhängen (sich) ausruhen träumen sich verabschieden	sich fürchten warnen	beitragen gehören neigen passen

ⓑ Präpositionen mit Akkusativ

an	auf	für	über	um
sich anpassen denken sich erinnern sich gewöhnen sich halten schreiben sich wenden	achten aufpassen sich konzentrieren reagieren sich verlassen	sich entscheiden sich entschuldigen gelten sich interessieren sorgen sprechen	sich ärgern sich aufregen erschrecken lachen nachdenken sich unterhalten sich wundern	sich bemühen sich bewerben es geht es handelt sich sich kümmern

ⓒ Verben mit wechselnden festen Präpositionen,
ohne Bedeutungsveränderung

Verb	Präp.	+ Kasus	Beispiel	Präp.	+ Kasus	Beispiel
berichten	von	+ Dativ	*Er berichtet von einem Unfall.*	über	+ Akkusativ	*Er berichtet über einen Unfall.*
reden	von	+ Dativ	*Alle reden vom Wetter.*	über	+ Akkusativ	*Alle reden über das Wetter.*
sprechen	von	+ Dativ	*Von der Prüfung wurde nicht gesprochen.*	über	+ Akkusativ	*Über die Prüfung wurde nicht gesprochen.*

ⓓ Verben mit wechselnden festen Präpositionen,
mit Bedeutungsveränderung

Verb	Präp.	+ Kasus	Beispiel
bestehen	aus	+ Dativ	*Dieses Getränk besteht ausschließlich aus Wasser, Gerste und Hopfen.*
	auf	+ Dativ	*Ich bestehe auf meinem Recht.*
	in	+ Dativ	*Das Problem besteht darin, dass wir keine Zeit mehr haben.*
halten	von	+ Dativ	*Ich halte nichts von faulen Kompromissen.*
	für	+ Akkusativ	*Sie hielt den Mann für einen Dilettanten.*

2

e Verben mit mehreren präpositionalen Ergänzungen

Verb	Präp. + Kasus	Präp. + Kasus	Beispiel
diskutieren	mit + Dativ	über + Akkusativ	*Er diskutiert mit ihr über das Programm.*
verhandeln	mit + Dativ	über + Akkusativ	*Er verhandelt mit ihr über das Programm.*
sich beschweren	bei + Dativ	über + Akkusativ	*Er beschwert sich bei seinem Nachbarn über den Lärm.*
sich bedanken	bei + Dativ	für + Akkusativ	*Sie bedankt sich bei ihm für den guten Rat.*
sich entschuldigen	bei + Dativ	für + Akkusativ	*Er entschuldigt sich bei ihr für seine Fehler.*
sich erkundigen	bei + Dativ	nach + Dativ	*Sie erkundigt sich bei ihm nach seiner Gesundheit.*
sich informieren	bei + Dativ	über + Akkusativ	*Sie informiert sich bei der Schule über das Kursangebot.*

f Satzergänzungen bei Verben mit festen Präpositionen: *da(r)* + **Präp.** ÜG S. 56

Beispiel: *Er erinnert sich* daran, *wie er Deutsch gelernt hat; sich erinnern an eine Sache, ein Erlebnis = sich daran (= an es) erinnern.*

Da(r-) funktioniert als Ersatz für das Pronomen es. Es wird gebraucht, wenn Begriffe oder (abstrakte) Sachen gemeint sind. Treffen zwei Vokale aufeinander, wird zwischen *da* und Präposition ein *-r-* eingefügt. Die häufigsten Verbindungen von *da(r)-* sind: *daran, darauf, darin, darüber, dagegen, darum, damit, dafür.*

g Aus Verben mit Präpositionen abgeleitete Nomen haben dieselbe Präposition: *die Teilnahme* an, *die Konzentration* auf, *der Bericht von*, *die Diskussion mit ... über*

2 Wortbildung des Verbs ÜG S. 106-109

a Vorsilbe betont – vom Verb trennbar

Vorsilbe	Beispiel	Vorsilbe	Beispiel
ab–	abmachen	her–	hergeben
an–	sich aneignen	hin–	hinfahren
auf–	aufnehmen	los–	loslassen
aus–	aussprechen	mit–	mitnehmen
bei–	beibringen	nach–	nachsprechen
durch–*	durchsagen	um–*	umarbeiten
ein–	einsehen	unter–*	(etwas) unterlegen
entgegen–	entgegengehen	vor–	vorschlagen
entlang–	entlangfahren	weg–	weglaufen
fort–	fortsetzen	zu–	zumachen
gegenüber–	gegenüberstellen	zurück–	zurücklassen
gleich–	gleichsetzen	zusammen–	zusammenkommen
heraus–	herausfinden		

b Vorsilbe unbetont – vom Verb nicht trennbar

Vorsilbe	Beispiel	Vorsilbe	Beispiel
be–	begreifen	miss–	missfallen
emp–	empfinden	unter–*	unterhalten
ent–	sich entschließen	ver–	vergessen
er–	ertragen	wieder–*	wiederholen
ge–	gefallen	zer–	zerreißen

* Diese Vorsilben gibt es sowohl bei trennbaren als auch bei untrennbaren Verben.

3

__1__ Beschreiben Sie Ihrer Lernpartnerin/
Ihrem Lernpartner das Foto möglichst genau.
Sie/Er hält dabei das Lehrbuch geschlossen und
betrachtet das Foto im Arbeitsbuch

der Platz, ¨e   *die Säule, -n*
der Rasen, -   *die Flagge, -n*
der Turm, ¨e   *die Kuppel, -n*
die Fassade, -n   *das Gebäude, -*
die Architektur

__2__ Ihre Partnerin/Ihr Partner beschreibt Ihnen ein
Foto aus dem Arbeitsbuch in allen Einzelheiten.
Sie halten dabei das Arbeitsbuch geschlossen und
betrachten das Foto oben.

AB

__3__ Stellen Sie Gemeinsamkeiten und Unterschiede
der beiden Bilder fest.

Befindet sich auf deinem Bild auch ...?
Hast du auch ...?
Gibt es bei dir ...?

__4__ Welche anderen Gebäude Berlins kennen Sie?

__5__ Sehen Sie sich den Reichstag im Internet an:
www.berlin.de

LESEN 1

___1___ Berlin – Sammeln Sie Assoziationen.

___2___ **Erste Orientierung vor dem Lesen**
Aus welcher Quelle stammt der Text wohl?
Was erwarten Sie nach dem Lesen der Überschrift?

___3___ **Lesen Sie den ganzen Text ohne Wörterbuch.**
Unterstreichen Sie beim Lesen Wörter, die Sie nicht kennen.

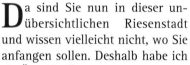

Der erste oder der einzige Tag

Da sind Sie nun in dieser unübersichtlichen Riesenstadt und wissen vielleicht nicht, wo Sie anfangen sollen. Deshalb habe ich
5 als Überblick ein Programm ausgearbeitet, das informativer und billiger ist als eine der üblichen Stadtrundfahrten.

Brechen Sie so früh wie möglich in Ihren bequemsten Schuhen auf und fahren Sie mit der Ver-
10 kehrsverbund-Tageskarte (die es in größeren Bahnhöfen am Kiosk, sonst in Automaten gibt) als Erstes zur *Kaiser-Wilhelm-Gedächtniskirche*[1] am Breitscheidplatz. In den Jahren der Teilung galt die Turmruine im Herzen Westberlins als Freiheitssymbol.
15 Schauen Sie unbedingt in die Gedenkhalle unten im Turm. Dort bekommen Sie ein Gespür für Berlins Schicksal in der jüngeren Vergangenheit. Draußen hält der Bus 129. Vielleicht bekommen Sie sogar einen Platz in der vordersten Reihe seines Oberdecks.

20 Weiter geht es in die – eine Generation lang abgetrennte – historische Stadtmitte. Nach wenigen Minuten sind Sie bereits am *Großen Stern*, wo die Statue der Viktoria hoch auf einer Säule über dem Tiergarten schwebt. Hier sollten Sie unbedingt aus-
25 steigen. Betrachten Sie die Platzanlage und lassen Sie sich nicht abschrecken von den 285 Stufen, die im Inneren der *Siegessäule*[2] hinaufführen. Der Blick lohnt jede Mühe. Die Säule erinnert an den deutsch-französischen Krieg von 1870/71.

30 Bis zum nahen *Reichstag*[3] durchquert der Bus den so genannten Spreebogen, das Regierungsviertel der Hauptstadt. Solange die Mauer stand, fanden fast alle westlichen Mammutveranstaltungen vor dem Reichstag statt. Hier beschwor Oberbürgermeister
35 Ernst Reuter 1948 vor 350.000 Menschen die Völker der Welt: „Schaut auf diese Stadt und erkennt, dass ihr diese Stadt und dieses Volk nicht preisgeben dürft und preisgeben könnt!" Sie können sich im Restaurant des Reichstags* erfrischen oder in der glä-
40 sernen Kuppel herumlaufen. Wandern Sie aber auch ein bisschen draußen herum.

Mit ein paar Schritten Richtung Süden sind Sie bereits am *Brandenburger Tor*[4].
Etwas weiter erhebt sich das 45 *Sowjetische Ehrenmal*[5], von der Roten Armee 1945 für die etwa 70 000 russischen Soldaten errichtet, die im Kampf um Berlin gefallen waren. Als Material dienten Marmorblöcke aus Hitlers zerstörter Reichskanzlei. 28 Jahre war hier vor dem Bran- 50 denburger Tor die West-Inselwelt zu Ende. Durchschreiten Sie in Erinnerung an jene Zeiten das Tor. Gleich rechts, am Beginn des prächtigen Boulevards *Unter den Linden*, hält Bus Nr. 100, mit dem Sie bis zur *Oper*[6] fahren. 55

Hier gilt es eine Entscheidung zu treffen: Weiter mit dem Bus oder zu Fuß? Ziel ist in jedem Fall der Bahnhof *Alexanderplatz*[7]. Das Herzstück des alten Berlin, einst überquellend von Leben, wurde im Krieg stark zerstört und war später Kernstück der Haupt- 60 stadt der DDR, wo nun der Fernsehturm in den Himmel schießt.

Es geht weiter mit der U-Bahn bis zur *Kochstraße*[8]. Schauen Sie sich unbedingt das Mauer-Museum an. Beklemmend und dramatisch wird hier in 65 Dokumenten, Filmen und Videoshows über die Mauer informiert, über Flüchtende, Fluchtfahrzeuge und Tunnels.

Und wer nach all den Sehenswürdigkeiten noch Unternehmungsgeist verspürt, ist fast schon ein 70 Berliner. Zu nächtlichen Vergnügungen mit ganz besonderer Note fahren Sie mit der U-Bahn zurück zum Kurfürstendamm. Von hier sind es nur wenige Schritte die *Meineckestraße*[9] entlang Richtung Süden. Sie stoßen direkt auf das Musical-Theater, wo es viel- 75 leicht noch Karten gibt. Oder auf die berühmte Bar jeder Vernunft, wo sich anschließend ab 23 Uhr Nachtsalon oder Pianobar öffnet.

* Sitz des Deutschen Bundestags

<u> 4 </u>   Erschließen Sie die Bedeutung unbekannter Wörter.   `AB`
Sie haben dabei zwei Möglichkeiten.

Zeile	unbekanntes Wort	ableiten aus bekannten Wörtern	verstehen aus dem Kontext
Z. 2	unübersichtlichen	Sicht - sehen - übersichtlichen = man kann etwas leicht sehen, sich darin orientieren, un- = nicht	Riesenstadt; wissen vielleicht nicht, wo Sie anfangen sollen.

<u> 5 </u>   Nummerieren Sie die Stationen 1–9 der Stadtrundfahrt auf diesem Plan.

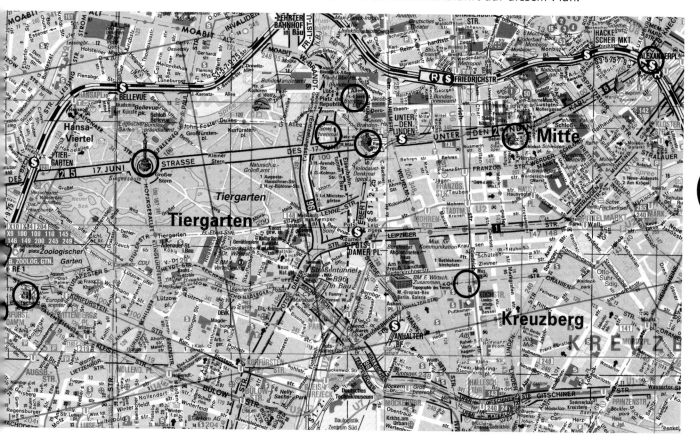

<u> 6 </u>   Sind folgende Aussagen richtig (r) oder falsch (f)?

- ☐ Die Autorin macht Vorschläge, was man sich am ersten Tag in Berlin ansehen soll.
- ☐ Sie will ein Alternativprogramm zu den normalen Stadtrundfahrten anbieten.
- ☐ Die Stadtführung wird hauptsächlich zu Fuß gemacht.
- ☐ Die Autorin zeigt nur die schönen Seiten Berlins.
- ☐ Die Autorin erklärt, welche Bedeutung bestimmte Orte für die Berliner haben.
- ☐ Sie führt auch an Orte im Ostteil der Stadt.
- ☐ Sie will den Touristen auch mit dem typischen Berliner zusammenbringen.
- ☐ Sie führt an Orte, an denen die Geschichte Berlins deutlich wird.
- ☐ Sie denkt auch daran, wo der Tourist mal eine Kleinigkeit essen kann.
- ☐ Sie gibt Tipps in Bezug auf Ausgehen und Abendprogramm.
- ☐ Sie hat Alternativvorschläge für schlechtes Wetter.

7 Welche Sehenswürdigkeiten und Orte erinnern an welche
Phasen der Geschichte Berlins?

Geschichte Berlins	Sehenswürdigkeit/Ort
im 19. Jahrhundert kurz nach dem 2. Weltkrieg während der Teilung Deutschlands	

GR 8 Ergänzen Sie die fehlenden Wörter aus dem Lesetext. GR S. 53/54

a Hauptsätze

Position 1	Position 2	Position 3, 4 ...	Endposition
Da	*sind*	*Sie nun in dieser* *unübersichtlichen Riesenstadt.*	
In den Jahren der Teilung			
	geht	*es in die historische Stadtmitte.*	
Solange die Mauer stand,			

b Imperativsätze

Position 1	Position 2	Position 3, 4 ...	Endposition
Brechen	*Sie*	*so früh wie möglich in Ihren* *bequemsten Schuhen*	*auf.*
und			

c Sätze, verbunden mit Konnektoren

Hauptsatz	Konnektor	Nebensatz	Endposition
Nach wenigen Minuten sind *Sie bereits am Großen Stern,*	*wo*	*die Viktoria über dem Tiergarten*	*schwebt.*

GR 9 Wiederholen Sie die Regeln zur Wortstellung.
Ergänzen Sie die fehlenden Wörter und Beispiele.

Hauptsatz

a Auf Position 1 können außer der Nominativergänzung (Subjekt)
auch andere Strukturen stehen. Beispiel: ...

b Die wichtigste Regel lautet: Das Verb mit Personalendung steht im
Hauptsatz immer auf Position ...

c Die Nominativergänzung steht entweder auf Position 1 oder ...

d Auf Position 3, 4 ... stehen die obligatorischen Verb-Ergänzungen,
wie zum Beispiel ...

e Auf Position 3, 4 ... stehen außerdem freie Angaben temporaler,
kausaler, modaler oder lokaler Art, wie zum Beispiel ...

f Hat das Verb mehrere Teile (zum Beispiel trennbares Verb, Perfekt,
Verb + Modalverb usw.), steht der zweite Teil ...

Imperativsatz

g Auf Position 1 steht im Imperativsatz ...

Sätze, die mit Konnektoren verbunden sind

h Bei Nebensätzen, die zum Beispiel mit *dass* oder *wo* eingeleitet
werden, steht auf der Endposition ...

AB

WORTSCHATZ – *Projekt Kaffeehaus*

__1__ Beschreiben Sie die beiden Fotos.
Was fällt Ihnen besonders auf?

__2__ Sammeln Sie Assoziationen.

Café/
Kaffeehaus

__3__ Was versteht man in Ihrem Heimatland unter
einem Café/Kaffeehaus?

__4__ Finden Sie heraus, welche Bedeutung ein Café/Kaffeehaus in
Deutschland bzw. in Österreich hat.

a Erarbeiten Sie dazu einen Fragebogen mit etwa sechs Fragen.

Fragebogen: deutsches Café bzw. österreichisches Kaffeehaus

1. *Wie ist das Café/Kaffeehaus eingerichtet?*
2. *Wer ...*
3. *Was ...*
4. *Wann ...*
5. *Wie lange ...*
6. *...*

b Suchen Sie im Branchenbuch Ihrer Stadt/Ihres Kursortes die Adresse
von einem Café/Kaffeehaus deutschen bzw. österreichischen Stils
heraus. Recherchieren Sie mit Hilfe Ihres Fragebogens. Falls sich in
Ihrer Stadt bzw. am Kursort kein solches Lokal findet, versuchen Sie,
die Fragen beispielsweise an Hand von Reiseführern, Zeitschriften und
Büchern zu beantworten.

`AB`

__5__ **Berichten Sie in der Klasse, was Sie herausgefunden haben.**

LESEN 2

3

__1__ Werfen Sie einen kurzen Blick auf die Lesetexte unten.

Aus welcher Quelle stammen die Texte wohl?
Was erwarten Sie vom Inhalt?

__2__ Zehn Personen wollen in Berlin ausgehen.

Welche Lokale aus dem Reiseführer sind für die Personen unten geeignet? Manchmal passen mehrere Lokale, manchmal passt auch keins.
Lesen Sie die Texte nur so genau, wie für die Lösung der Aufgabe wirklich nötig ist.
Arbeiten Sie ohne Wörterbuch.

1 Herr Richter möchte nach dem Essen in eine Prominenten-Bar. ⟶ *Lutter & Wegner*
2 Herr Schuster ist ein Liebhaber von guten Torten.
3 Wenn Frau Peters ausgeht, möchte sie nicht
   um Mitternacht schon wieder nach Hause gehen.
4 Herr Bürger möchte Berlin bei Nacht erleben. Er tanzt gern.
5 Frau Hermann möchte in ein Lokal, das es so nur in Berlin gibt.
6 Herr Bellaire steht gern spät auf und liebt ein besonderes Frühstück.
7 Frau Eich sitzt gern stundenlang in Kaffeehäusern
   und legt Wert auf eine gepflegte Einrichtung.
8 Herr York liest bei Kaffee und Kuchen gern die internationale Presse.
9 Frau Rasch möchte endlich einmal typische Berliner Speisen probieren.
10 Frau Keller möchte stilvoll und gut zu Abend essen.

Café Savigny/
Grolmannstr. 53–54
Fast immer voll. Eine umfangreiche Auswahl an Zeitungen und Zeitschriften, die prominente Lage und das noble Frühstück, das bis in den Nachmittag hinein serviert wird, mögen Gründe dafür sein. Und ein weiterer: Durch die großen Glasscheiben sieht der Gast und wird gesehen.

Operncafé/ *Unter den Linden*
Morgens ist das „amerikanische Frühstücksbuffet" eine willkommene Alternative zur Einheitsmarmelade im Hotel, am Nachmittag lassen sich erschöpfte Touristen auf hellblauen Sesseln zur Sahnetorte nieder. Mit dem Kuchen gibt sich das Operncafé größte Mühe: Unter der Glastheke werden Strudel wie Trüffel mit Umluft klimatisiert und stets bei optimaler Luftfeuchtigkeit ausgestellt.

Berlin-Museum/ *Lindenstr. 14*
Die Alt-Berliner Weißbierstube kommt manchem Besucher schöner vor als der Rest des interessanten Hauses. Die Einrichtung ist museumsreif, die vorwiegend kalte Küche bietet alles, was als berlinisch gilt – vom Schusterjungen mit Griebenschmalz bis zur Roten Grütze –, und die Stimmung ist bis drei Uhr früh gut bis bierselig.

Lutter & Wegner/
Gendarmenmarkt
Früher stand das Restaurant zwei Straßenecken weiter, besucht von Schriftstellern, Schauspielern und Operettenstars. Es war bekannt für seinen Weinkeller und als Lieferant der preußischen Kronprinzen. Die Bomben des Zweiten Weltkriegs zerstörten das Restaurant. Seit 1997 gibt es das Restaurant wieder am Gendarmenmarkt. Nach dem Essen kann man in edle Bars schlendern und sich zudem an dem einzigartigen Panorama erfreuen. Mit etwas Glück trifft man hier bekannte Politiker oder andere Prominente.

Zwiebelfisch/ *Savignyplatz 7–8*
Eine lange Nacht endet meist im „Zwiebelfisch", wo sich kurz vor der Morgendämmerung alle treffen: Nachtschwärmer und Frühaufsteher, Lebenskünstler und Geschäftemacher. Sie diskutieren, spielen Schach oder sitzen einfach nur da, während Kneipenhund „Müller von der Halde" unter der Theke von der Hasenjagd träumt.

<u>1</u>   Was fällt Ihnen spontan zu diesen beiden Städten ein?

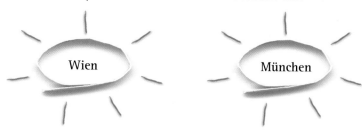

Wien

München

<u>2</u>   Hören Sie den ersten Teil eines Gesprächs.

   a Wer spricht hier?

   b Woher stammt die Person?

<u>3</u>   Haben Sie diese Aussagen über Wien gehört?

   a Herr G. stellt fest, dass Tradition in Wien eine große Rolle spielt.   ☐ Ja   ☐ Nein

   b Ihm gefällt die Lage der Stadt wegen der nahen Berge, der Weingärten
      und dem Fluss.   ☐ Ja   ☐ Nein

   c Vor 100 Jahren lebten in Wien so viele Menschen wie heute.   ☐ Ja   ☐ Nein

   d Die Einwohner Wiens kamen vor allem aus Südeuropa.   ☐ Ja   ☐ Nein

   e Im Wiener Dialekt spürt man den Einfluss verschiedener Sprachen.   ☐ Ja   ☐ Nein

3

<u>4</u>   Hören Sie den Rest des Gesprächs.

Nummerieren Sie, in welcher Reihenfolge diese Aspekte im Gespräch erwähnt werden,
und kreuzen Sie an, wie die Aspekte bewertet werden.

Die **Stärken** und Schwächen Münchens		
Freizeitmöglichkeiten		
Einkaufsmöglichkeiten		
ı Kulturangebot		
Lebensgefühl		
Öffentlicher Nahverkehr		
Sicherheit vor Verbrechen		
Klima/Wetter		
„Neureiche" Mitbürger		
Mieten		
Bewertung	*gut*	*schlecht*

<u>5</u>   Hören Sie das Gespräch noch einmal ganz.

Notieren Sie dazu Stichworte.

Ort	Vorteile	Nachteile
München		*sehr teure Stadt*
Wien		

AB

SCHREIBEN

__1__ Lesen Sie den Brief einer deutschen Brieffreundin.

> *Lieber Theo,*
>
> *Bonn, den 17. Januar 20..*
>
> *vielen Dank für deine nette Karte, die gestern ankam. Finde ich gut, dass du in den Ferien nicht faul rumliegst, sondern dein Deutsch in einem Sprachkurs verbesserst.*
>
> *Stell dir vor, wen ich im Skiurlaub wieder getroffen habe: den Pierre aus Bordeaux. Bestimmt erinnerst du dich noch an ihn. Er erzählte mir, dass er vor kurzem auch einen Deutschkurs besucht hat. Der Kurs war wohl gut, aber offenbar fand er die Stadt ein wenig langweilig. Mit den „gemütlichen" Kneipen konnte er wenig anfangen. Außerdem fand er das Ausgehen schrecklich teuer. Obendrein soll das Wetter miserabel gewesen sein. Jetzt interessiert mich natürlich, ob es dir genauso geht. Hoffentlich nicht!!!*
>
> *Von hier gibt es eigentlich sonst nicht viel Neues zu berichten. Lass bald wieder von dir hören. Bis dahin*
>
> *alles Liebe*
>
> *deine*
>
> *Angelika*

__2__ Beantworten Sie den Brief.

Schreiben Sie über den Ort, an dem Sie sich gerade befinden.
Arbeiten Sie in fünf Schritten.

Schritt 1 Sammeln Sie zuerst Ideen, was Sie schreiben könnten.

Schritt 2 Planen Sie den Aufbau des Briefes.
Bringen Sie dazu die folgenden Punkte in eine sinnvolle Reihenfolge.
- ☐ Berichten Sie von einem Kneipen-, Kino- oder Museumsbesuch.
- ☐ Berichten Sie, wie das Wetter zur Zeit ist.
- ☐ Bedanken Sie sich für den Brief.
- ☐ Schreiben Sie, wie Sie den Tag am Kursort verbringen.
- ☐ Schreiben Sie etwas darüber, wie Sie sich im Moment fühlen.
- ☐ Beenden Sie den Brief mit einem Gruß.

Schritt 3 Notieren Sie Ausdrücke oder einzelne Wörter, die Sie verwenden wollen.
Beispiele: *Wetter total schlecht … fünf Tage Dauerregen …*

Schritt 4 Formulieren Sie diese Stichpunkte aus.

Schritt 5 Überarbeiten Sie Ihren Text.
Die Sätze sollten gut aneinander anschließen. Das heißt zum Beispiel: Nicht jeder Satz sollte mit dem Subjekt anfangen.
Lesen Sie dazu noch einmal das Beispiel oben durch und unterstreichen Sie die Satzanfänge.

__3__ **Lesen Sie den Text Ihrer Lernpartnerin/Ihres Lernpartners.**
Was gefällt Ihnen besonders gut? Was könnte man verbessern?
Markieren Sie mit Bleistift Fehler, besprechen und korrigieren Sie diese.

AB

SPRECHEN 1

Kursparty

Stellen Sie sich vor, Sie sind zu einer Kursparty eingeladen. Sie unterhalten sich über den Ort, wo Sie Ihren Deutschkurs machen. Stellen Sie sich in zwei Kreisen auf, einer innen und einer außen. Wenn die Musik erklingt, bewegen sich die beiden Kreise in gegenläufigen Richtungen. Wenn die Musik aufhört, sprechen Sie mit der Ihnen gegenüberstehenden Person. So sprechen Sie mit immer neuen Partnern. Verwenden Sie dazu Sätze aus der folgenden Anleitung.

Sprecher 1 ▶ ◀ **Sprecher 2**

Eröffnen Sie das Gespräch mit einer Begrüßung.
Guten Abend!/Hallo!/Grüß dich!/Grüß Sie!
Ah, Herr Schmidt, ... Wie geht's?

Erwidern Sie die Begrüßung.

Machen Sie eine Bemerkung über den Kursort.
Also, ich muss sagen, München/Berlin/XY gefällt mir ... ausgezeichnet/recht gut/überhaupt nicht/einigermaßen.
Ausgesprochen zufrieden/unzufrieden bin ich hier mit ...

Stimmen Sie der Bemerkung zu.
Ja, das stimmt.
Ja, das finde ich auch.
Ja, da haben Sie/hast du ganz Recht.
Also, mir gefällt es hier auch.

Bringen Sie das Thema Einkaufsmöglichkeiten am Kursort auf und geben Sie ein Beispiel.
Stellen Sie sich vor/Stell dir vor ...
Also, wissen Sie/weißt du, neulich war ich doch ...
Neulich ist mir was passiert ...

Berichten Sie von ganz anderen Erfahrungen beim Einkaufen.
Nein, also so etwas ist mir noch nicht passiert.
Vor kurzem habe ich sogar beobachtet, ...

Zeigen Sie sich erstaunt und sagen Sie etwas zum berichteten Fall.
Na so was!
Kaum zu glauben.
Also, ich finde ...
Wenn mir das passiert wäre, ich hätte ...

Wechseln Sie das Thema.
Übrigens, ...
Aber es gibt ja auch gute/weniger gute Sachen hier, zum Beispiel ...
Fragen Sie, ob Sprecher 1 schon einmal in der Kneipe X war.

__1__ Lesen Sie die Kurzinformation über Berlin.

Berlin zur Zeit Tucholskys

1881	erste elektrifizierte Straßenbahn-linie, das Telefon-Ortsnetz Berlin wird in Betrieb genommen
1902	erste Hoch- und U-Bahn-Strecke
1888–1918	Regierungszeit Kaiser Wilhelms II.
1914–1918	1. Weltkrieg
1918	Novemberrevolution, Abdankung des Kaisers, Deutschland wird Republik
1920	aus acht Städten und 59 Gemeinden entsteht Groß-Berlin mit 3,85 Millionen Einwohnern; Beginn der „goldenen zwanziger Jahre"

__2__ Was will der Autor dieses Textes?

☐ über die Ereignisse aus dem Jahre 1919 berichten
☐ Informationen über die Stadt geben
☐ subjektive Eindrücke schildern

Berlin! Berlin!

Über dieser Stadt ist kein Himmel. Ob überhaupt die Sonne scheint, ist fraglich; man sieht sie jedenfalls nur, wenn sie einen blendet, will man über
5 den Damm gehen. Über das Wetter wird zwar geschimpft, aber es ist kein Wetter in Berlin.

Der Berliner hat keine Zeit. Er hat immer etwas vor, er telefoniert und verabredet sich, kommt abgehetzt zu
10 einer Verabredung und etwas zu spät und hat sehr viel zu tun. In dieser Stadt wird nicht gearbeitet – hier wird geschuftet. (Auch das Vergnügen ist hier eine Arbeit, zu der man sich vorher in die Hände spuckt und von der man etwas haben will.)

15 Manchmal sieht man Berlinerinnen auf ihren Balkons sitzen. Die sind an die steinernen Schachteln geklebt, die sie hier Häuser nennen, und da sitzen die Berlinerinnen und haben Pause. Sie sind gerade zwischen zwei Telefonge-sprächen oder warten auf eine Verabredung oder haben sich
20 – was selten vorkommt – mit irgend etwas verfrüht – da sit-zen sie und warten. Und schießen dann plötzlich, wie der Pfeil von der Sehne – zum Telefon – zur nächsten Verabre-dung.

Der Berliner kann sich nicht unter-25 halten. Manchmal sieht man zwei Leu-te miteinander sprechen, aber sie unterhalten sich nicht, sondern sie sprechen nur ihre Monologe gegeneinander. Die Berliner können auch nicht zuhören. Sie warten nur ganz gespannt, bis der andere aufgehört hat zu reden, und dann
30 haken sie ein. Auf diese Weise werden viele Berliner Kon-versationen geführt.

Die Berliner sind einander spinnefremd. Wenn sie sich nicht irgendwo vorgestellt wurden, knurren sie sich auf der Straße und in den Bahnen an, denn sie haben miteinander
35 nicht viel Gemeinsames. Sie wollen voneinander nichts wis-sen und jeder lebt ganz für sich. Berlin vereint die Nachtei-le einer amerikanischen Großstadt mit denen einer deut-schen Provinzstadt.

Kurt Tucholsky, 1919 40

__3__ Wie beurteilt Kurt Tucholsky folgende Aspekte?
Kreuzen Sie an.

Urteil über	+	-
das Wetter in Berlin	☐	☐
das Verhältnis der Berliner zur Arbeit	☐	☐
das Verhalten der Berlinerinnen	☐	☐
Gespräche zwischen Berlinern	☐	☐

AB

__4__ Welche Merkmale Berlins treffen auf eine Großstadt und ihre Bewohner in Ihrem Heimatland zu?

___1___   Sehen Sie sich das Foto an. Wo sehen Sie diese Dinge?

das Ornament, -e	der Zwiebelturm, ¨e	die Kugel, -n
der Bogen, -	die Fassade, -n	die Statue, -n
der Erker, -	die Fliese, -n	die Verzierung, -en
der Kitsch	die Keramik, -en	der Ziegel, -

AB

___2___   Beschreiben Sie das Besondere an diesem Haus.

___3___   Wie stellen Sie sich das Leben darin vor?

> *Das Haus sieht aus wie ...*
> *Es scheint, als ob es ...*
> *Wenn ich in diesem Haus wohnen würde, ...*
> *In einem so ... Haus könnte (müsste) man ...*

___4___   Suchen Sie im Internet ein anderes Hundertwasser-Gebäude, z.B. in Wittenberg.

LESEN 4

1 Lesen Sie die Kurzinformationen zu dem Künstler,
der dieses Gebäude geschaffen hat.
Was sagt sein Name über seine Persönlichkeit?
Was stellen Sie sich unter *Fensterrecht und Baumpflicht* vor?

Friedensreich Hundertwasser
eigentlich Fritz Stowasser/österreichischer Maler

1928	in Wien geboren
1972	Entwurf des Plakats zur Olympiade in München
1972	verfasst das Manifest „Dein Fensterrecht – Deine Baumpflicht – Architekturmodelle für Dachbewaldung und individuelle Fassadengestaltung"
1983–1985	Entwurf und Bau des „Hundertwasser-Hauses" in Wien
2000	gestorben

2 Ergänzen Sie die Hauptinformationen in der rechten Spalte.

Das Hundertwasser-Haus in Wien

Ein natur- und menschenfreundliches Haus: Des Malers und Architektenfeindes Friedensreich Hundertwasser Phantasie schuf es, die Gemeinde Wien erbaute die Wohnanlage im Rahmen des sozialen Wohnungsbaus. Sozial sind die Mieten allerdings nicht unbedingt zu nennen, und im Grunde wohnen Künstler in diesem Künstlerhaus, was Hundertwasser wiederum freut: „Wenn hier Privilegierte einziehen, dann ist das ein Beweis für mich, dass das Haus gut ist. Es ist doch bemerkenswert, wenn solche Leute Bereitschaft zeigen, in diese doch relativ kleinen Wohnungen einzuziehen." Doch auch Künstler nervt der Rummel, der um dieses Gebäude entstanden ist, denn an die 1500 Menschen pilgern täglich zu dieser umstrittenen Architektur-Attraktion Wiens.

In dem in Ziegelbauweise errichteten Komplex gibt es 50 Wohnungen, unterschiedlich groß, ein- oder zweigeschossig, für arme und reiche Mieter, mit oder ohne Garten, mit viel Sonne oder viel Schatten, mit Straßenlärm oder ruhig, mit Blick auf die Straße oder in den Hof; ein Terrassen-Café, eine Arztpraxis und ein Bio-Laden sind organisch eingefügt. Jede Wohneinheit hat ihre eigene Farbe und ein rund fünf Kilometer langes Keramikband verläuft durch die gesamte Anlage, vereinigt die Wohnungen miteinander und trennt sie zugleich durch eine jeweils andere Farbe.

Generell verfolgte Hundertwasser die „Toleranz der Unregelmäßigkeiten"; so sind alle Ecken des Baus abgerundet und die Fenster verschieden groß, breit und hoch. Individualität ist auch im Innern angesagt, die Verfliesung[1] der Badezimmer ist uneinheitlich, der Fußboden des Wandelgangs uneben, die Wand dieses Bereiches (im unteren Teil dient sie als 500 Meter lange Mal- und Kritzelwand für Kinder) gewellt.

Zwei goldene Zwiebeltürme schmücken das Gebäude, weil – laut Hundertwasser – „ein goldener Zwiebelturm am eigenen Haus ... den Bewohner in den Status eines Königs erhebt". Ob man diese Verzierungen und das Haus insgesamt für Kunst oder Kitsch hält, muss wohl jeder für sich selbst entscheiden.

[1] Fliesen sind Platten aus Stein oder Keramik auf Wand und Boden.

Hauptinformationen

a) Architekt: *Hundertwasser*

b) Bauherr:

c) Bewohner:

d) Bedeutung des Hauses für Wien:

e) Größe der Wohnungen:

f) Gewerbliche Nutzung/Geschäfte:

g) Optische Besonderheiten:

3 Würden Sie gern in diesem Haus wohnen? Warum (nicht)?

ÜG S. 132–135

___1___   Normale Wortstellung im Hauptsatz

ⓐ Ergänzungen und Angaben

geben

Position 1	Position 2	Position 3, 4 ...		
wer?		wem?	wann? warum? wie? wo?	was?
Sie	*gab*	*ihrer Freundin*	*gestern zur Sicherheit schnell noch im Bus*	*ihren Stadtplan.*
Nominativ obligatorisch	Verb	Dativ obligatorisch	Angaben: temporal/kausal*/modal/lokal nicht obligatorisch	Akkusativ obligatorisch

* Wie kausale Angaben sind auch konditionale (unter welcher Bedingung?) und konzessive (mit welcher Einschränkung?) zu behandeln.

Regeln:
1. Die Satzglieder des Hauptsatzes – außer dem Verb – können an verschiedenen Stellen stehen. Das ermöglicht die Variation der Sätze. Texte werden dadurch abwechslungsreich und lesen sich flüssig.
2. Das konjugierte Verb hat eine feste Position: Position 2.
3. Das Subjekt steht auf Position 1 oder auf Position 3.
4. Im Mittelfeld (Position 3, 4 ...) gilt tendenziell:

   ■ Pronomen stehen direkt nach dem Verb bzw. direkt nach dem Subjekt.
   ■ Dativ steht vor Akkusativ. *Sie gab ihrer Freundin den Stadtplan.*
   ■ Pronomen stehen vor Nomen. *Sie gab ihn ihrer Freundin.*
   ■ Personalpronomen im Akkusativ stehen vor Dativ. *Sie gab ihn ihr.*

ⓑ Reihenfolge der Angaben
Freie Angaben stehen meist vor der Akkusativ- oder Präpositionalergänzung. Kommen mehrere vor, gilt als Faustregel: temporal vor kausal/konditional/konzessiv vor modal vor lokal (te-ka-mo-lo).

Position 1	Position 2	Position 3, 4, ...				Endposition
Wir	*sind*	*gestern*	*wegen des schönen Wetters*	*gern*	*im Park*	*spazieren gegangen.*
		te	ka	mo	lo	

ⓒ Das Prädikat besteht aus mehreren Teilen.

Position 1	Position 2 Verb 1	Position 3, 4 ...	Endposition Verb 2/Verbteil
Sie	*hat*	*ihrer Freundin den Stadtplan*	*gegeben.*
Er	*wollte*	*ihn gestern seiner Schwester*	*geben.*
Sie	*ruft*	*ihre Schwester*	*an.*
Er	*geht*	*nachmittags mit seiner Schwester*	*spazieren.*

d Position 1 im Hauptsatz

	Position 1	Position 2	Position 3, 4 ...	Endposition
Nominativ- ergänzung	*Der Blick von der Siegessäule* *Sie*	*lohnt* *können*	*jede Mühe.* *sich in der Cafeteria* *des Reichstags*	*erfrischen.*
Akkusativ- ergänzung	*Ein „Berlin Ticket"*	*bekommen*	*Sie in größeren Bahnhöfen* *am Schalter*	
Präpositional- ergänzung	*An den deutsch-französischen* *Krieg von 1870/71*	*erinnert*	*die Säule am Großen Stern.*	
Freie Angaben, z.B. temporal	*Nach wenigen Minuten*	*sind*	*Sie bereits am* *Großen Stern.*	
Nebensatz	*Wer nach all den Sehenswürdig-* *keiten immer noch Unterneh-* *mungsgeist verspürt,*	*ist*	*fast schon ein Berliner.*	

e Das Verb auf Position 1

ÜG S. 138–143

Satztyp	Position 1	Position 2, 3 ...
(Ja-/Nein-)Frage Befehl Wunsch	*Kennst* *Stehen* *Hätte*	*du Berlin?* *Sie früh auf!* *ich doch mehr Zeit!*

_2_   Satzverbindungen

ÜG S. 148

a Hauptsatz vor Nebensatz: Das Verb mit der Personalendung schließt
den Satz ab.

	Konnektor	Nebensatz	Endposition – Verb
Ich weiß,	*dass*	*Berlin wieder Hauptstadt*	*ist.*
Ich weiß,	*was*	*ich mir in Berlin*	*ansehen will.*
Ich weiß nicht,	*ob*	*ich nach Berlin*	*reisen werde.*
Ich weiß es *nicht,*	*weil*	*meine Terminplanung noch nicht abgeschlossen*	*ist.*

b Nebensatz vor Hauptsatz: Verb stößt auf Verb.

Nebensatz	Hauptsatz
Während der Zug durch den Berliner Untergrund rast,	*fühlen wir uns wie in der Geisterbahn.*

c Konnektoren, die Hauptsätze verbinden: *aber, denn, doch, oder, und*

Hauptsatz	Konnektor	Hauptsatz
Er kaufte einen Stadtplan,	*aber*	*der nützte ihm wenig.*

3

Kaufgespräch: Schwieriger Kunde

Eine/r von Ihnen will in diesem Geschäft ein
Geschenk für einen Freund/eine Freundin oder
jemanden anderen kaufen. Es fällt ihm schwer, sich
zu entscheiden. Immer wieder macht der Verkäufer
neue Vorschläge. Spielen Sie dieses Gespräch zu
zweit.

Verkäufer/in	◄ Kunde/Kundin
Kann ich Ihnen helfen?	Ja, ich such ein Geschenk für ...
Wie wäre es denn mit ...?	... nicht so geeignet, weil ...
So ein(e)... wird auch gern als Geschenk genommen.	... wie teuer ...?
... Euro	... etwas preiswerter?
	... andere Farbe?
Für Ihre(n)... empfehle ich ...	... nicht die richtige Größe.
Wenn Sie nicht so viel ausgeben möchten, hätten wir noch ...	... anderes Muster?
Ja, den/die/das gibt es auch in ...	

WORTSCHATZ

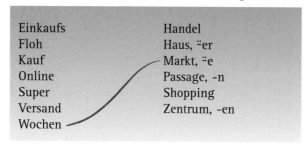

1   Was sehen Sie auf diesen Fotos?

2   Bilden Sie Begriffe. Es gibt mehrere Möglichkeiten.

Einkaufs	Handel
Floh	Haus, ⸚er
Kauf	Markt, ⸚e
Online	Passage, -n
Super	Shopping
Versand	Zentrum, -en
Wochen	

3   Erklären Sie die Bedeutung der Begriffe.
*Unter Online-Handel oder Online-Shopping versteht man
das Kaufen und Verkaufen im Internet.*

4   Ergänzen Sie die Begriffe in folgenden Kurztexten.
Achten Sie auf Singular und Plural.

Discountladen – Einkaufszentrum – Einkaufpassage – Flohmarkt –
Kaufhaus – Lieblingsboutique – Obst- und Gemüsehändler – Online-
Shopping – Supermarkt – Versandhaus

„Otto Normalverbraucher"
Sie machen alles in Maßen. Einmal die Woche
machen Sie Großeinkauf im _____ am
Stadtrand. Frische Sachen kaufen Sie beim
_____ oder Bäcker um die Ecke, neue
Kleidung in Ihrer _____ in der Stadt. Oder
Sie bestellen per Katalog bei einem _____.

Shopaholic*
Einkaufen ist für Sie eine der liebsten
Freizeitbeschäftigungen. Am Abend oder am
Wochenende schlendern Sie stundenlang durch
_____ oder über _____ . Wenn Sie einen
schlechten Tag hatten, trösten Sie sich oft damit,
irgendetwas zu kaufen.

* einkaufssüchtig

Einkaufsmuffel
Einkaufen ist für Sie ein Horror. Die große
Auswahl des Angebots überfordert Sie. In eine
_____ oder ein _____ gehen Sie nur,
wenn sie unbedingt etwas brauchen. Dagegen
macht Ihnen als Computer-Spezialisten das
_____ richtigen Spaß.

Schnäppchen-Jäger
Einkaufen macht Ihnen nur dann Spaß, wenn Sie
das Gefühl haben, etwas billiger zu bekommen.
Sie besuchen gerne Schlussverkäufe und fühlen
sich von _____ magisch angezogen. Dort
kaufen Sie auch schon mal Sachen, die Sie
eigentlich gar nicht brauchen.

5   Interview: Was für ein Einkaufstyp ist Ihr Interviewpartner?
Fragen Sie z.B.:

a Wann? (Wochentag, Tageszeit)
b Wo?
c Wie oft? (pro Woche, pro Monat)
d Mit wem? (allein – mit Mutter – mit Freundin etc.)
e Wie lange? (stundenlang – möglichst schnell wieder fertig)

Stellen Sie Ihren Interviewpartner / Ihrer Interviewpartnerin in der
Klasse vor.

AB

__1__   Preiswert einkaufen – Ist das für Sie ein Thema?

In welchen Geschäften kaufen Sie für Ihren täglichen Bedarf
(Lebensmittel, Waschmittel etc.) ein?

__2__   Sehen Sie sich den Text unten an.

a Lesen Sie nur die Überschrift und den ersten Absatz.
Wie ist der Text?

- informativ / berichtend
- erzählend
- kommentierend

b Worum geht es in dem Text?

__3__   Lesen Sie den Text. Unterstreichen Sie wichtige Informationen:
Wer? Wo? Was? Seit wann?

Genial einfach:

Die Erfolgsrezepte von Aldi

Billig muss es sein. Und gut. Aldi weiß genau, was die Kunden wollen. Das Aldi-Prinzip wurde oft kopiert,
erreicht hat es niemand. Still und heimlich erobern Theo und Karl Albrecht die Welt. Unternehmenszahlen
werden der Öffentlichkeit nicht preisgegeben, Interviews gibt es auch nicht. Blicken Sie hinter die Kulisse:
So wurde Aldi erfolgreich ...

5 „Warum gründen wir nicht einen Supermarkt, der seinen Kunden einen Rabatt (Discount) auf Produkte
gewährt?", dachten sich Karl und Theo Albrecht. Ja, warum eigentlich nicht? Und so machten sie 1946 aus dem
elterlichen Lebensmittelladen in der Essener Vorstadt den ersten „Albrecht Discount" – kurz Aldi. Bereits nach
zwei Jahren betrieben die Albrechts 13 Läden im Ruhrgebiet. Das Imperium wuchs immer schneller. Heute ran-
gieren die Brüder laut US-Wirtschaftsmagazin „Forbes" auf dem dritten Platz der reichsten Menschen der Welt.
10 Geschätztes Vermögen: 26,8 Milliarden Euro. Dennoch leben sie bescheiden.

Während der restliche Handel zurzeit nicht mit steigenden Umsätzen und Gewinnen rechnen kann, geht es bei
Aldi aufwärts. Gespart wird immer. In guten wie in schlechten Zeiten. Denn mittlerweile kaufen über 75 Prozent
der Deutschen bei Aldi ein – auch Besserverdienende. Die fast 3.800 deutschen und die 2.600 ausländischen
Aldi-Filialen nehmen im Jahr schätzungsweise rund 30 Milliarden Euro ein. Bei einer geschätzten Umsatzrendite
15 von fünf Prozent verdient Aldi jährlich 1,5 Milliarden Euro.

Die Erfolgsstory Aldi basiert auf einem einfachen Prinzip: Alles ist einfach. Es gibt „nur" rund 600 verschiedene
Basisartikel. Der Warenumschlag ist schnell, die Produkte werden in Kartons ausgelegt und die Anordnung ist in
allen Filialen gleich. Bescheiden müssen auch die Aldi-Chefeinkäufer bleiben: Einladungen und Geschenke von
Lieferanten sind tabu.

20 Die Umschlagsgeschwindigkeit von Aldi-Artikeln ist extrem hoch. Entsprechend gut ist die Versorgung der
Filialen organisiert. Dreh- und Angelpunkt für den Warenumschlag sind 65 Zentrallager in Deutschland, jedes
so groß wie fünf bis sechs Fußballfelder.

Teure Werbekampagnen sind bei Aldi nicht nötig, weil Aldi auch so funktioniert. Angeblich hat die Aldi-Kette in
ihrer Firmengeschichte noch keinen einzigen Cent für Werbeagenturen ausgegeben. Die Konkurrenz staunt –
25 und rauft sich die Haare. Ganz ohne Werbung kommt aber auch Aldi nicht aus. Einmal wöchentlich schaltet der
Discounter Anzeigen in Zeitungen mit der Überschrift: „Aldi informiert". Das klingt zwar eher wie eine amtliche
Bekanntmachung, passt aber zum Aldi-Prinzip: Auf den Preis kommt es an.

Im Norden Deutschlands stets am Mittwoch, im Süden am Montag und Donnerstag – der Aldi-Tag sorgt für lange Warteschlangen vor Ladenöffnung. Denn jeder kennt den Aldi-Satz: „Sollten diese Artikel allzu schnell
30 ausverkauft sein, bitten wir um Ihr Verständnis." Mit diesen immer wiederkehrenden Angebotstagen sorgt Aldi ohne großen Aufwand für Aufmerksamkeit. Die Kundschaft freut sich Woche für Woche. Und mittlerweile gehört es fast schon zum guten Ton, mit Kollegen über aktuelle Aldi-Schnäppchen zu plaudern.

Aldi setzt auf Qualität zum günstigen Preis. Obwohl der Discounter keine Markenprodukte im Sortiment hat, gibt es eine Reihe von Aldi-Waren, die in Untersuchungen von Verbraucherschützern mit „gut" oder „sehr gut"
35 benotet werden. Das verwundert kaum. Angeblich bleiben Produkte nicht im Sortiment, wenn sie nicht mindestens mit „befriedigend" abschneiden. Dass die Qualität hoch ist, liegt auch an den Markenherstellern, die sich hinter einigen Billig-Produkten verbergen. Die Kunden freut's.

4   Ergänzen Sie die Informationen.

     ⓐ Wem gehört die Supermarkt-Kette?   *Den Brüdern Theo und Karl Albrecht.*
     ⓑ Wann eröffneten sie den ersten Laden?   _____
     ⓒ Wie hieß der Laden damals?   _____
     ⓓ Wofür steht der Name „Aldi"?   _____
     ⓔ Wer kauft bei Aldi?   _____
     ⓕ Wo gibt es Aldi-Geschäfte?   _____
     ⓖ Wie viele Geschäfte gibt es in Deutschland?   _____
     ⓗ Wie viele verschiedene Waren kann man in einer Aldi-Filiale kaufen?   _____
     ⓘ Wie macht Aldi Werbung?   _____
     ⓙ Wie sorgt Aldi für Qualität beim Angebot?   _____

`AB`

5   Gibt es etwas Ähnliches wie Aldi auch bei Ihnen? Berichten Sie.

GR **6**   Unterstreichen Sie im Text Sätze mit *nicht* und ordnen Sie diese zu.

nicht steht:	Beispiel
nach Dativergänzungen und bestimmten Akkusativergänzungen	Unternehmenszahlen werden der Öffentlichkeit nicht preisgegeben.
vor dem 2. Verbteil (auch vor Nomen, die zum Verb gehören)	
vor der unbestimmten Akkusativ-Ergänzung	
vor der Präpositionalergänzung	
vor der lokalen Ergänzung	
vor der qualitativen Ergänzung: *sein* + Adjektiv	
vor dem Satzteil, der verneint wird	

GR **7**   Verneinen Sie folgende Sätze aus dem Text mit *nicht*.

Bestimmen Sie, zu welcher der Kategorien in Aufgabe 6 die Sätze jeweils gehören.

     ⓐ Blicken Sie hinter die Kulisse. (Z.3)
     ⓑ Die Erfolgsstory Aldi basiert auf einem einfachen Prinzip. (Z.16)
     ⓒ Der Warenumschlag ist schnell. (Z.17)
     ⓓ Bescheiden müssen auch die Aldi-Chefeinkäufer bleiben. (Z.18)
     ⓔ Das passt aber zum Aldi-Prinzip. (Z.27)
     ⓕ Auf den Preis kommt es an. (Z.27)
     ⓖ Es freut die Kunden. (Z.37)

`AB`

SCHREIBEN

1 Haben Sie schon einmal etwas im Internet gekauft? Erzählen Sie.

2 Sehen Sie sich den Text im Kasten unten an.
Wer schreibt wann an wen zu welchem Anlass?

3 Schreiben Sie den Buchstaben der folgenden Tipps zu den passenden Stellen in der E-Mail.

ⓐ Eine handschriftliche Unterschrift ist bei E-Mails nicht möglich.
ⓑ Geben Sie einen Betreff an. Der sollte kurz und klar sein, sonst landet Ihre E-Mail vielleicht gleich im Papierkorb.
ⓒ Lesen Sie Ihren Text vor dem Abschicken unbedingt Korrektur. Es schleichen sich viele Tippfehler ein.
ⓓ Schreiben Sie präzise mit allen nötigen Daten.
ⓔ Verwenden Sie eine Anrede wie im Brief. Schreiben Sie nicht nur „Hallo".
ⓕ Verwenden Sie eine Grußformel wie im Brief.

4 Ordnen Sie den Textsorten die passende Definition zu.

Ein Bericht	bestätigt, dass man bei einer bestimmten Firma etwas kaufen möchte.
Eine Bestellung	schildert, was passiert ist.
Eine Einladung	erklärt, dass man mit einer Ware oder Leistung nicht zufrieden ist.
Eine Reklamation	nennt Ort und Zeitpunkt z.B. eines Festes und bittet um Teilnahme.

Um was für eine Textsorte handelt es sich oben?

5 Schreiben Sie an die Firma.
Bei dem Online-Auktionshaus eBay haben Sie einen Computer zu einem günstigen Preis ersteigert und auch das Geld überwiesen. Aber das Gerät funktioniert nicht einwandfrei. Es kam beschädigt bei Ihnen an. Schreiben Sie eine Reklamation per E-Mail an eBay.

__1__   Wann ist ein Mensch nach Ihrer Meinung arm?

Fassen Sie die Ergebnisse der Umfrage unten für eine mündliche
Präsentation schriftlich zusammen. Verwenden Sie folgende Sätze:

Eine Umfrage in Österreich ergab:
Als arm gelten in Österreich nicht nur Menschen, die ...
Auch wer kein ... besitzt ... gilt als arm.
In Armut leben heißt für ... Prozent der Befragten, ...
Für ... Prozent ist jemand arm, wenn ...

Umfrage in Österreich:

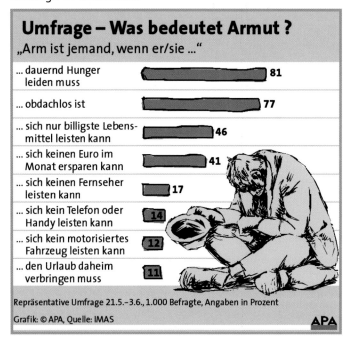

Umfrage – Was bedeutet Armut ?
„Arm ist jemand, wenn er/sie ...“

... dauernd Hunger leiden muss	81
... obdachlos ist	77
... sich nur billigste Lebens- mittel leisten kann	46
... sich keinen Euro im Monat ersparen kann	41
... sich keinen Fernseher leisten kann	17
... sich kein Telefon oder Handy leisten kann	14
... sich kein motorisiertes Fahrzeug leisten kann	12
... den Urlaub daheim verbringen muss	11

Repräsentative Umfrage 21.5.–3.6., 1.000 Befragte, Angaben in Prozent
Grafik: © APA, Quelle: IMAS

APA

AB

__2__   Tragen Sie nun die Ergebnisse der Umfrage frei vor.

__3__   Wann gilt ein Mensch für Sie als arm?

Bilden Sie eine persönliche Reihenfolge.
Schreiben Sie die Zahlen vor die Stichwörter.

__4__   Vergleichen Sie in einer Gruppe zu viert Ihre Ergebnisse und formulieren Sie Unterschiede.

Bei uns gab es folgende Übereinstimmungen: ...
Große Unterschiede gab es bei ...
Während bei ... auf Platz 1 steht, habe ich ... auf Platz 1 gesetzt.
Während für ... wichtig ist, ist für mich ... besonders wichtig.
Unwichtig finde ich dagegen ...
Auf den letzten Plätzen finden sich ...

HÖREN

___1___ Wie viel Geld braucht man Ihrer Meinung nach mindestens zum täglichen Leben?

___2___ Sehen Sie das Foto an und lesen Sie die Bildlegende dazu.

Was ist das Besondere an dieser Frau?
Was erwarten Sie von einem Interview mit ihr?

Heidemarie S. arbeitete in Dortmund als Psychotherapeutin, bevor sie 1996 beschloss, ihr Leben zu ändern. Sie verschenkte ihr Gespartes und ihren gesamten Besitz, kündigte Wohnung und Krankenversicherung und lebt seither vom Tauschen.

___3___ Hören Sie nun das Interview.

Nummerieren Sie die Reihenfolge der Themen.

- ☐ Wohnen
- ☐|1| Benutzung von öffentlichen Verkehrsmitteln
- ☐ Essen
- ☐ Gründung der Gib-und-Nimm-Zentrale
- ☐ Verwendung des Honorars für das Buch
- ☐ Vorbild eines Tauschrings in Kanada
- ☐ Wäsche

___4___ Hören Sie das Interview noch einmal in Abschnitten.

Sind diese Aussagen über Heidemarie richtig oder falsch? Kreuzen Sie an.

			Ja	Nein
Abschnitt 1	ⓐ	Sie ist berufstätig und verdient viel Geld.	☐	☐
	ⓑ	Sie ist arbeitslos.	☐	☐
	ⓒ	Sie hat eine eigene Wohnung, aber sie ist nie da.	☐	☐
	ⓓ	Sie bietet anderen Menschen Dienstleistungen an, z.B. Babysitten.	☐	☐
Abschnitt 2	ⓔ	Sie hat ein Buch mit dem Titel „Das Sterntaler-Experiment" geschrieben.	☐	☐
	ⓕ	Sie fühlt sich abhängig von anderen Menschen.	☐	☐
	ⓖ	Sie besitzt keine Geldbörse.	☐	☐
	ⓗ	Sie ist nicht prinzipiell gegen Geld.	☐	☐
Abschnitt 3	ⓘ	Sie möchte, dass andere Menschen auch auf Geld verzichten.	☐	☐

___5___ Beantworten Sie diese Fragen.

- ⓐ Was ist Heidemarie S. wichtiger als Geld?
- ⓑ Wie fühlt sie sich dabei, ohne Geld zu leben?
- ⓒ Was möchte sie in der Gesellschaft bewirken?

AB

_GR_ __6__ Drücken Sie diese Sätze positiv aus.

Negativ	Beispiel	Positiv	Beispiel
nichts	Ich benutze nichts.	alles, etwas	Ich benutze alles/etwas.
kein	Sie hat keine Mehrausgaben.	einige, viele usw.	Sie hat (einige) Mehrausgaben.
nie, niemals	Eine Frau, die nie da ist.		
miss-	Mir missfällt, was wir daraus gemacht haben.		
un-	Ich empfinde mich als unabhängiger.		
ohne	Wie lebt man ohne Geld?		

LESEN 2

Heidemarie Schwermer
Das Sterntaler-experiment
Mein Leben ohne Geld
50 EURO GOLDMANN

_1_ Sehen Sie das Bild an. Um was für ein Buch geht es hier?

_2_ Lesen Sie die Überschriften der folgenden Rezensionen.
Wie ist die Meinung der Rezensenten zu dem Buch?
Kreuzen Sie an und begründen Sie.

Rezension	eher positiv	eher negativ	teils-teils
A	☐	☐	☐
B	☐	☐	☐
C	☐	☐	☐

_3_ Wählen Sie einen der drei Texte. Unterstreichen Sie darin Sätze, in denen Meinungen zum Ausdruck kommen.

A Wertvoll, wenn auch nicht konsequent

Eine neue Perspektive zum Thema Lebensunterhalt. Durch die autobiographische Erzählweise hat man als Leser einen direkten Einblick in die Gedanken und Nöte der Autorin – was das Buch zu einer wertvollen Inspirationsquelle macht. Einziges Minus: unlogische, teilweise inkonsequente Argumentation, vor allem am Schluss. Da wird euphorisch ein Leben ohne Geld bilanziert, gleichzeitig aber von der Lust am spontanen Käsekaufen berichtet. Dann schreibt die Autorin vom ziellosen Zug- und Busfahren zwecks Meditation, nur verschweigt sie, dass Schwarzfahren hierzulande 40 Euro kostet. Insgesamt aufschlussreich, wenn auch nicht zur Nachahmung geeignet.

B Eine ganz andere Perspektive

Der Gedanke löst Angst aus: Kann ich ohne Geld leben? Er löst Angst aus, vielleicht noch nicht, wenn man an den eigenen Fernseher oder die Stereoanlage denkt. Aber schon bei der Miete flippt man eigentlich aus. Und dann erst: Was wäre bei Krankheit ohne Krankenkasse, bei einem Unfall gar? Diesen Fragen musste sich die Autorin in ihrem Leben ohne Geld natürlich stellen. Sie tut es auch. Schritt für Schritt, nicht auf einmal, verändert sie ihr Leben in ein Leben ohne Geld. Das bedeutet nicht, dass jeder Leser oder jede Leserin es ihr nachtun müsste. Aber es zeigt, wie diese spezielle Frau es geschafft hat. Und es zeigt auch, dass ein Leben ohne Geld nicht einfach Armut bedeutet, sondern eine sich verändernde Weltsicht. Aus dieser neuen Sicht öffnen sich Türen.

C Warum nicht einmal „anders" denken?

Wohl den meisten wird, was die Verfasserin in ihrem Selbsterfahrungsbuch beschreibt, fremd bleiben. Fängt man, wie ich, aus Neugier in der Mitte an zu lesen, wo sie das bereits Praktizierte beschreibt, neigt man zum Kopfschütteln. Oft nicht wissen, wo man morgen schläft? Hunger schieben, weil gerade niemand mit der Autorin „Leistung" tauschen will? Frieren, weil keiner warme Klamotten zum Tausch gegen Leistung anbietet? Doch wenn man, wie es sich gehört, ihre Geschichte von Anfang an liest, versteht man zumindest, was die Autorin dazu bewegt hat, so zu leben, wie sie lebt. Man möchte ihr alle Daumen drücken, dass sie ihr Projekt doch noch in die Köpfe vieler Menschen hineinbekommt. Aber die Zeiten sind nicht so, und die Menschen schon mal gar nicht, und so wird das Buch ein liebenswerter Erfahrungsbericht einer „Spinnerin" bleiben.

_4_ In welchem Text finden Sie diese Meinung?

	A	B	C	in keinem
ⓐ Das Buch verbreitet eine Weltanschauung.	☒	☐	☐	☐
ⓑ Das Buch regt zum Nachmachen an.	☐	☐	☐	☐
ⓒ Ein Leben ohne Geld ist für die meisten Menschen keine Perspektive.	☐	☐	☐	☐
ⓓ Frau S. ist nicht ganz ernst zu nehmen.	☐	☐	☐	☐
ⓔ Frau S. lebt uns vor, wie wir alle leben sollten.	☐	☐	☐	☐
ⓕ Frau S. erklärt, warum sie ohne Geld leben möchte.	☐	☐	☐	☐
ⓖ Was Frau S. erzählt, ist nicht ganz logisch.	☐	☐	☐	☐

Der Kurs teilt sich in Gruppen zu je 5 bis 6 Personen.
Pro Gruppe gibt es ein Mitglied, das ohne Geld lebt. Diese „geldlose"
Person verhandelt und tauscht mit den anderen Gruppenmitgliedern
Dienstleistungen gegen Dinge des täglichen Bedarfs, d.h. wo sie isst,
schläft etc. Am Ende präsentiert der „Geldlose" das Ergebnis seiner
Verhandlungen in Form eines Wochenplans.

Montag	Dienstag	Mittwoch	Donnerstag	Freitag	Samstag	Sonntag
Essen bei Rita dafür Babysitten	wohnen bei Uwe dafür Autowaschen					

Gewonnen hat die Gruppe, deren Wochenplanung kompletter ist.

Rolle 1: Der „Geldlose"

Sie brauchen folgende Dinge:

täglich	wöchentlich
Essen	Telekommunikation
Schlafen	Transport
Wohnen	Freizeit: Sport, Lesen
	Wäsche waschen

Auftrag: Versuchen Sie, eine Woche lang durch Dienstleistungen Ihre
Bedürfnisse zu befriedigen. Bieten Sie an:

Auto waschen – Babysitten – ein Haus/eine Wohnung hüten – Fahrrad
reparieren – Gartenarbeit machen/Rasen mähen – Hausarbeit/Putzen/
Aufräumen – Installieren eines neuen Computerprogramms –
jemanden zur Schule/zum Kindergarten/zum Arzt bringen und dort abholen – Nachhilfeunterricht in … geben – etwas vorlesen – Schnee schaufeln
– Texte schreiben/eingeben – Übersetzung von Texten ins …

Tragen Sie die Namen und Tauschaktionen in einen Wochenplan ein.

Rolle 2: Die Tauschpartner

Auftrag: Schreiben Sie zwei der folgenden Dinge, die Sie besitzen und
anbieten, auf Ihre Handlungskarte.

einen gut gefüllten Kühlschrank – ein Gästezimmer – eine Waschmaschine,
ein Badezimmer – ein Büro mit Telefon, Computer, Internetanschluss –
einen Bibliotheksausweis – eine übertragbare Monatskarte für die öffentlichen Verkehrsmittel – eine Jahreskarte für das Schwimmbad

AB

Geldloser ▸◂ Tauschpartner

*Hör mal, Rita. Möchtest du nicht mal wieder mit
deinem Mann ins Kino gehen? Ich könnte doch
mal wieder eure Kleine babysitten.*

Ja, das wäre prima. Wann hättest du denn Zeit?

Am liebsten am Mittwoch.

*Gut, dann komm doch am Mittwochabend, so
um 6. Dann kannst du mit uns zu Abend essen
und danach gehe ich mit Dieter ins Kino.*

Schön. Ich freue mich.

LESEN 3

1 Welche Statussymbole wünschen sich junge Leute heutzutage? Machen Sie eine Liste.

Welches dieser Dinge besitzen Sie persönlich? Warum/Warum nicht?

2 Lesen Sie nun den folgenden Bericht und ergänzen Sie die Textzusammenfassung.

Die Probleme des Jugendlichen Jan begannen im Alter von 17 Jahren. Neben der Schule jobbte er als ______ und verdiente dabei überdurchschnittlich viel Geld. Die Leute, mit denen er zusammenarbeitete, legten großen Wert auf ______ wie teure Autos. Weil er dazu gehören wollte, kaufte er in teuren Boutiquen Kleidung von ______. Die Sachen selber interessierten ihn ______. Das ______ selber machte ihm Spaß. Als er sich in den Geschäften nicht mehr wohl fühlte, begann er mit dem ______-Shopping. Er kaufte Unmengen, ohne seine ______ zu bezahlen. Als eine der betrogenen Firmen Anzeige erstattet hatte, musste er sich in einer Klinik gegen seine ______ behandeln lassen. In den nächsten Wochen warten außerdem mehrere ______ auf ihn.

Kaufrausch

„Packen Sie's ein. Alles!"

Jan H., 19, hat 125.000 Euro Schulden und steht demnächst wegen Betrugs vor Gericht. Weil er mit dem Einkaufen nicht mehr aufhören konnte.

Vor zwei Jahren bekam Jan zum ersten Mal feuchte Hände, als er eine Boutique betrat. „Ich konnte mich nicht entscheiden zwischen Dolce & Gabbana und Tommy Hilfiger[1], dem schwarzen Anzug und dem hellen Mantel, dem glänzenden Seidenhemd und dem Polohemd. Da habe ich einfach gesagt: Packen Sie es ein, alles."
Voller Erregung fährt er mit seinen Tüten nach Hause. Er ist glücklich, denn er glaubt, jetzt wird er endlich von all denen bewundert, die er toll findet. Jans Chef zum Beispiel. Der war ein Jungmanager der Computerbranche und Mercedes-CLK[2]-Fahrer. Für den arbeitete der damalige Gymnasiast Jan nachmittags nach der Schule als Webdesigner. Mit 17 verdiente Jan mit diesem Schülerjob schon 2500 Euro im Monat. Als er 18 wurde, räumte ihm seine Bank einen Kredit von 12.000 Euro ein. Einfach so, nicht auf Jans Wunsch. Man kennt sich ja im Ort, die Eltern sind angesehene Leute. Jan fühlte sich damals wie ein König und verließ vor dem Abitur die Schule. „Ich war völlig berauscht vom Geldverdienen. Ich hatte nur noch mit Leuten zu tun, die sich nahezu alles leisten konnten." Er geht jeden Tag auf Shoppingtour. Jedes Mal, wenn er ein neues Teil in den Händen hält, spürt er den „totalen Kick". Innerhalb weniger Wochen ist der Kleiderschrank restlos voll. Was nicht mehr hineinpasst, stapelt Jan unter seinem Bett.

So geht das einige Monate. Immer hat er Herzklopfen beim Einkaufen, doch etwas beginnt sich zu verändern: „Die Verkäuferinnen haben mich plötzlich so komisch angeguckt und sich hinter meinem Rücken komische Blicke zugeworfen. Dabei habe ich doch immer alles bezahlt." Irgendwann fühlt Jan sich so beobachtet, dass er keinen Laden mehr betritt. Also bestellt er per Internet, aber die Befriedigung ist nicht mehr dieselbe. Bis die Sachen bei ihm ankommen, interessieren sie ihn nicht mehr. Unausgepackt steckt er sie zu den anderen Tüten in den Keller. Rechnungen wirft er ungeöffnet in den Papierkorb. „So waren sie für mich nicht mehr vorhanden." Jan sagt, er sei schon immer ein Meister im Lügen und Verdrängen gewesen.

Zu der Zeit, als er süchtig per Internet bestellt, besitzt er fünf Kreditkarten. Außer teurer Kleidung ordert er nun auch DVD-Spieler, Fernseher, Telefone, Computer. Der Gerichtsvollzieher[3] kommt inzwischen regelmäßig. Das spricht sich herum bis zu den Internetfirmen, für die er arbeitet. Von nun an bleiben die Aufträge aus. Als die Onlineshops wegen der offenen Rechnungen nicht mehr liefern wollen, wendet Jan Tricks an. Er bestellt unter seinem zweiten Vornamen. Jan hat mittlerweile den Überblick verloren. Er weiß nicht, welche der Dinge in seinem Schrank er in letzter Minute noch bezahlt hat, wie viele Tüten unausgepackt im Keller stehen.

Schließlich teilt die Polizei ihm mit, dass gegen ihn mehrere Betrugsanzeigen vorliegen. Das Gericht bestimmt, dass er mit einem Psychologen sprechen muss. Der erzählt ihm, dass er an „Oniomanie" leidet, das heißt pathologische Kaufsucht. Jan erklärt sich bereit, eine Therapie zu machen. Zur Therapie gehört das so genannte Expositionstraining. Mit 200 Euro in der Tasche muss er in die Stadt gehen und versuchen, nichts zu kaufen. Seine Gefühle muss er protokollieren, jede noch so geringe Erregung schriftlich für den Therapeuten aufzeichnen. Obwohl Jan in einer Boutique vor Erregung feuchte Hände bekommt und die Verkäufer in längere Gespräche verwickelt, besiegt er sein Verlangen. Er kauft nichts.

Nach drei Monaten wird er aus der Klinik entlassen. Zurück in die Realität und zu den Schulden. Zurück in die Katastrophe, die er angerichtet hat. In den nächsten Wochen stehen ihm zwei Prozesse bevor.

[1] Modemarken [2] Autotyp [3] Vom Gericht bestellter Mitarbeiter, der ausstehende Zahlungen eintreibt.

_3_ Um was für eine Textsorte handelt es sich hier?

☐ Um einen ironischen Kommentar zum Thema Kaufverhalten junger Leute.

☐ Um eine Reportage über einen Fall von Kaufzwang.

☐ Um einen Bericht über einen Betrugsfall.

_4_ Sprechen Sie über Jans Probleme. Formulieren Sie Fragen mit verschiedenen Fragewörtern und antworten Sie.

Beispiel: Warum kauft Jan H. so viel ein? Weil er bewundert werden will.

> 125.000 Euro Schulden? – Kredit von 12.000 Euro bekommen? – Die Schule ohne Abitur verlassen? – Fast täglich einkaufen gehen? – Sachen unausgepackt in den Keller stellen? – Rechnung nicht bezahlen? – Vor Gericht gestellt werden? – Therapie machen?

_5_ Konsequenzen

Welche Strafe sollte Jan bekommen?
Wie wird sein Leben weitergehen?

_6_ Tempusformen

Unterstreichen Sie im Text weitere Beispiele.

Vergangenes	Präteritum	Vor zwei Jahren bekam Jan ...
	Perfekt	Da habe ich einfach gesagt ...
	Plusquamperfekt	Nachdem eine der betrogenen Firmen Anzeige erstattet hatte, ...
	Präsens	Voller Erregung fährt er ...

In welchem Tempus ist dieser Text überwiegend geschrieben? Warum?

_GR 7_ Ergänzen Sie Präsens, Perfekt, Präteritum, Plusquamperfekt.   ÜG S. 76 ff.

Tempus-Regeln für die Schriftsprache

a In geschriebenen Texten, z.B. Berichten und Meldungen in den Medien, wird als Vergangenheitstempus normalerweise das

_____ verwendet.

b Enthält ein schriftlicher Text wörtliche Rede, in der Vergangenes erzählt wird, verwendet man häufig _____ .

c Will ein Autor z.B. in einer Reportage das Geschehen besonders lebendig schildern, verwendet er zur Beschreibung von Vergangenem auch das

_____ .

d Finden zwei Ereignisse zu unterschiedlichen Zeitpunkten in der Vergangenheit statt, bezeichnet das _____ das weiter zurückliegende Ereignis.

AB

GRAMMATIK

1 Vergangenes berichten

Tempus	Verwendung	Beispiel
Perfekt	gesprochene Sprache	*Da habe ich einfach gesagt ...*
Präteritum	Schriftsprache mündlich: bei Modalverben, bei *haben* und *sein*	*Vor zwei Jahren bekam Jan ...* *Ich konnte mich nicht entscheiden ...* *Ich war völlig berauscht, hatte nur noch mit Leuten zu tun, ...*
Plusquamperfekt	Schriftsprache – Handlungen, die vor dem Präteritum liegen	*Nachdem eine der betrogenen Firmen Anzeige erstattet hatte, wurde er vor Gericht gestellt.*
Präsens	Schriftsprache – lebendige Schilderung	*Voller Erregung fährt er ...*

2 Negation

ÜG S. 136

a Negation eines Satzes mit *nicht*

nicht steht:	Beispiel
vor dem 2. Verbteil (auch vor Nomen, die zum Verb gehören)	*Ganz ohne Werbung kommt auch Aldi **nicht** aus.*
vor der unbestimmten Akkusativ-Ergänzung	*Warum gründen wir **nicht** einen Supermarkt ...*
vor der Präpositionalergänzung	*Während der Handel zurzeit **nicht** mit steigenden Umsätzen und Gewinnen rechnen kann ...*
vor der lokalen Ergänzung	*Angeblich bleiben Produkte **nicht** im Sortiment, ...*
vor der qualitativen Ergänzung: *sein* + Adjektiv	*Teure Werbekampagnen sind bei Aldi **nicht** nötig.*
nach Dativergänzungen und bestimmten Akkusativergänzungen	*Unternehmenszahlen werden der Öffentlichkeit **nicht** preisgegeben.*

b Negation eines Satzteils mit *nicht*

nicht steht:	Beispiel
vor dem Satzteil, der verneint wird	*Aldi-Kunden müssen **nicht** lange (sondern nur kurz) an der Kasse stehen.* *Ich will **nicht** in Portugal Urlaub machen.* *Ich will in Portugal **nicht** Urlaub machen, sondern arbeiten.* ***Nicht** ich will in Portugal Urlaub machen, sondern meine Freundin.*

c Negation von Artikeln, Pronomen, Adverbien

Positiv	Negativ	Beispiel
(irgend-)ein	kein	*Ich habe ein Auto. Ich habe **kein** Auto.* *Haben wir noch Brot? Nein, wir haben **kein** Brot mehr.*
(irgend-)eins*	keins*	*Nein, wir haben **keins** mehr.*
(irgend-)etwas	nichts	*Er kauft etwas/**nichts**.*
(irgend-)jemand	niemand,	***Niemand** versteht mich.*
	keiner	***Keiner** liebt mich.*
immer	nie, niemals	*Ich wohne bei einer Frau, die immer/**nie** da ist.*
überall, irgendwo	nirgendwo, nirgends	*Ich habe überall nach meiner Brille gesucht – ich habe sie **nirgends/nirgendwo** gefunden.*
(fast) alles	kaum etwas (fast) nichts	*Ohne Brille kann ich **kaum etwas/fast nichts** erkennen, mit Brille sehe ich alles total scharf.*

* auch *eines, keines*

5

<u> 1 </u> Sehen Sie sich das Bild eine Minute lang aufmerksam an.

Schlagen Sie dann das Buch zu.
Schreiben Sie zu zweit auf, was auf dem Bild zu sehen war. Dazu haben Sie vier Minuten Zeit. Gewonnen haben diejenigen, die das Bild am genauesten beschrieben haben.　　　　AB

<u> 2 </u> Schreiben Sie einen Dialog für das Paar auf dem Foto.

<u> 3 </u> Worum geht es bei diesen drei Aussagen?
Welche sagt Ihnen am meisten zu? Warum?

Normalerweise fängt der Mann an. Ganz typisch ist, dass er eine Frau zum Beispiel in einem Pub fragt: „Kommst du oft hierher?" Was soll sie auf so eine dumme Frage antworten?
Kevin, England

Auch bei uns fängt häufig der Mann an. Er kann eine Frage stellen oder etwas zu trinken anbieten. Manchmal ist es auch ein langer Blick, mit dem er die Frau, die ihm gefällt, fixiert.
João, Brasilien

Die Männer in meinem Heimatland sind sehr leidenschaftlich. Ein Mann würde einer Frau Blumen schenken oder ein Gedicht schreiben, manchmal tanzt er auch einen traditionellen Tanz für seine Angebetete. Aber ich glaube, entscheiden tun eigentlich die Frauen, die den Kontakt zulassen oder nicht.
Fotini, Griechenland

__1__ Sehen Sie die Zeichnungen. Auf welchem Bild sehen Sie das?

a Sie zieht die Augenbrauen hoch.
b Sie neigt den Kopf seitlich.
c Sie senkt den Blick.
d Er schlenkert mit den Schultern.
e Er streckt sich.
f Er wiegt sich in den Hüften.
g Er zupft an der Krawatte.

__2__ Lesen Sie nur die Überschrift.

Was erwarten Sie vom Inhalt des Artikels?

__3__ Lesen Sie nun den Text.

Signale der Liebe

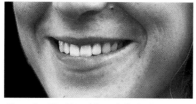

Am Beginn eines jeden Flirts, das hat der Verhaltensforscher Irenäus Eibl-Eibesfeldt bereits in den sechziger Jahren herausgefunden, steht das Augenspiel der Frau. Vom Amazonas-Delta bis zu den Ufern des Rheins hat der Wissenschaftler ein einheitliches Flirtverhalten beobachtet: Die Frau blickt ihren potenziellen Bewunderer an, lächelt, zieht daraufhin 5 ruckartig die Augenbrauen hoch, betrachtet ihn kurz mit weit geöffneten Augen und senkt dann schnell wieder den Blick, wobei sie den Kopf seitlich nach unten neigt.

Ist der Mann der Empfänger eines solchen Signals, darf er sich zu weiteren Schritten ermutigt fühlen. Die sollten freilich auf leisen Sohlen 10 daherkommen, denn, so ein weiteres Ergebnis der Verhaltensforschung, je indirekter der Mann vorgeht, umso größer die Bereitschaft der Frau, sich auf ihn einzulassen.

Gerade die Zweideutigkeit ist es ja, die Flirts so reizvoll macht. Flirtende senden seit eh und je eine ganze Reihe von nonverbalen Signalen, aber sie können diese auch ohne weiteres sogleich widerrufen. „Die Augen", bemerkte der französische Romancier Stendhal schon im 19. Jahrhundert, „sind die Hauptwaffe" des 15 Flirtenden. „Mit einem einzigen Blick lässt sich alles sagen und doch kann man alles wieder ableugnen, denn Blicke sind keine Worte."

Die fallen auch noch nicht in der nächsten Flirtstufe, der so genannten Aufmerksamkeitsphase. Wer glaubt, sich dabei elegant zu bewegen, wird enttäuscht sein zu hören, dass wir uns bei der Annäherung allesamt recht lächerlich aufführen: Männer schlenkern mit den Schultern, strecken sich, wiegen sich in den Hüften, über- 20 treiben jede Bewegung und zupfen an ihrer Krawatte herum.

Frauen gucken angestrengt, putzen sich, ziehen die Schultern nach oben. Mit schöner Regelmäßigkeit führen sie eine ruckartige Aufwärtsbewegung des Kopfes nach hinten aus, so dass das Gesicht nach oben schaut. Unterstützt wird diese Kopfbewegung häufig noch 25 durch ein verlockendes Fingerspiel in den Haaren. Wenn dazu noch eine seitwärts geneigte Kopfhaltung kommt und dem Betrachter eine Halsseite gezeigt wird, dann darf der Mann sein Herz beruhigt höher schlagen lassen.

LESEN 1

<u>4</u> Welches Ziel hat der Text?

☐ Er soll über wissenschaftliche Ergebnisse informieren.

☐ Er soll über persönliche Erfahrungen des Autors berichten.

☐ Er soll einen aktuellen Fall schildern.

☐ Er soll eine Stellungnahme zum Thema bringen.

<u>5</u> Kreuzen Sie an, welche Aussagen den Text richtig wiedergeben.

Die richtigen Antworten ergeben eine Textzusammenfassung.

☐ Ein Flirt beginnt bei allen Menschen nach ähnlichem Muster.

☐ Frauen sind diejenigen, die den Flirt beginnen.

☐ Die Spannung entsteht beim Flirt ohne Worte.

☐ Beim Flirten ist der Mann der aktive Partner.

☐ Körperbewegungen spielen beim Flirt eine wichtige Rolle.

☐ Der Mann sollte beim Flirten klar machen, was er will.

☐ Männer benehmen sich beim Flirt weniger dezent als Frauen.

☐ Typische Signale gehen bei der Frau von der Haltung des Kopfes aus.

GR <u>6</u> Markieren Sie im Text alle Nomen im Plural. Ordnen Sie die Nomen nach Pluralformen.

GR S. 79/1,2

Ergänzen Sie den Singular und den Artikel.

a Markieren Sie die Pluralendungen. Beachten Sie dabei: Es gibt einige Dativ-Plurale mit der Endung -n.

b Sehen Sie sich die Systematik auf Seite 79 an. Schreiben Sie in die vierte Spalte, zu welchem Pluraltyp das Wort gehört.

Artikel	Singular	Plural	Pluraltyp
das	signal	signale	2

AB

c Zu welchem Typ haben Sie die meisten Beispiele gefunden?

GR <u>7</u> Markieren Sie die zusammengesetzten Nomen in diesem Text.

GR <u>8</u> Ergänzen Sie die fehlenden Teile der zusammengesetzten Nomen aus dem Lesetext auf Seite 68.

Ergänzung: Bestimmungswort	Ergänzung: Grundwort
Flirtverhalten	Aufmerksamkeitsphase
-waffe	Finger-
-spiel	Aufwärts-
-seite	Kopf-
-forscher	

AB

WORTSCHATZ 1 – *Liebe und Partnerschaft*

_1_ Wer liebt wen?

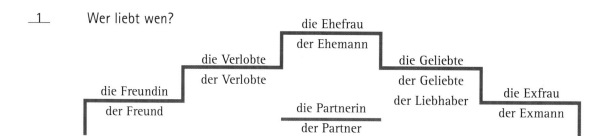

a Die Wörter oben sind wie eine aufsteigende und wieder absteigende
Treppe angeordnet. Warum? Deuten Sie diese Anordnung.

b Ordnen Sie diesen Nomen – wo möglich – passende Verben und
Partizipien zu. Beispiel: Freund/Freundin – *befreundet sein mit jeman-*
dem; sich anfreunden mit jemandem

`AB`

_2_ Grammatische Checkliste

Ergänzen Sie die fehlenden Wörter.

Verb	Nomen	Person	Adjektiv/Partizip	Gegenteil
lieben	*die Liebe*	*der/die Liebende* *der/die Geliebte*	*verliebt*	*hassen*
sich anfreunden *mit jemandem*				
heiraten				
sich verloben				

`AB`

_3_ Kann man das „lieben"? Kreuzen Sie an.

Ich liebe ...		ja	eigentlich nicht	besser
... das Kaufhaus am Dom.			✗	*gefallen*
... das neue Schwimmbad.				
... die Farbe Rot.				
... Eis mit heißen Himbeeren.				
... es, ganz früh aufzustehen.				
... meine Tante Elsa.				
... Evas neues Kleid.				
... Hunde.				
... Kinder.				
... meinen Beruf.				
... Sekt mit Orangensaft.				
... Menschen, die ehrlich sind.				

`AB`

_4_ Verbessern oder variieren Sie einzelne Formulierungen.

ÜG S. 102

Benutzen Sie dafür die Ausdrücke *gefallen, gern haben, etwas gern tun,*
mögen, schmecken.
Beispiel: *Das Kaufhaus am Dom gefällt mir.*
  Eis mit heißen Himbeeren schmeckt mir sehr gut.

_5_ Welche Wörter passen nicht?

a der Bräutigam – der Pfarrer – der Trauzeuge – der Taufpate – die Braut

b der Geburtstag – die Hochzeit – Ostern – die Taufe – die Verlobung

`AB`

Das einsprachige Wörterbuch

Vorteil des einsprachigen Wörterbuches ist, dass viele Zusammensetzungen und Redewendungen aufgeführt sind.

a Lesen Sie den Artikel Heirat aus dem *Großen Wörterbuch der deutschen Sprache* und beantworten Sie folgende Fragen.

- Was stellen Sie sich unter einer Heiratsvermittlung vor?
- Wie nennt man es, wenn ein Mann eine Frau bittet, ihn zu heiraten (oder umgekehrt!)?
- Wie bezeichnet man eine Person, die den Heiratswunsch nur vortäuscht?
- Wie heißt die Ankündigung der Eheschließung in der Zeitung?
- Wie nennt man das Dokument, das man bei der Eheschließung erhält?

heirats, Heirats: ~absicht, die <meist Plural>: -en haben: jemandes -en durchkreuzen; ~alter, das **a)** *Alter, in dem üblicherweise Ehen eingegangen werden; das durchschnittliche H. ist gesunken;* **b)** *Alter, in dem jemand [nach geltendem Recht] heiraten kann; das H. erreicht haben;* ~annonce, die: *Annonce in einer Zeitung o.Ä., in der man einen geeigneten Partner für die Ehe sucht;* ~antrag, der: *von einem Mann einer Frau unterbreiteter Vorschlag, miteinander die Ehe einzugehen; er machte ihr einen H.; sie hat schon mehrere Heiratsanträge bekommen, abgelehnt;* ~anzeige, die: **1.** *die Namen u. das Hochzeitsdatum u.a. enthaltende Briefkarte, mit der ein Hochzeitspaar seine Heirat Freunden u. Bekannten mitteilt; Anzeige in einer Zeitung, durch die ein Hochzeitspaar seine Heirat offiziell mitteilt; eine H. in die Zeitung setzen; -n verschicken.* **2.** svw ↑~annonce; ~buch, das: *Personenstandsbuch, das zur Beurkundung der Eheschließungen dient;* ~büro, das: svw↑~institut; ~erlaubnis, die; ~fähig <Adjektiv ohne Steigerung; nicht adv.> *das Alter [erreicht] habend, in dem eine Heirat [nach geltendem Recht] möglich ist; sie ist noch nicht h.; er, sie ist jetzt im -en Alter (ist alt genug, um zu heiraten);* ~fähigkeit, die <ohne Plural> svw Ehemündigkeit; ~freudig <Adjektiv; ohne Steigerung; nicht adv.>: vgl. ~lustig; ~gedanke, der <meist Plural>: svw ↑~absicht; sich mit -n tragen; ~gesuch, das; ~gut,

das <ohne Plural>; ~institut, das: *gewerbliches Unternehmen, durch das Ehepartner vermittelt werden; Eheanbahnungsinstitut;* ~kandidat, der (scherzhaft): **a)** *jemand, der kurz vor der Heirat steht,* **b)** *noch unverheirateter, heiratswilliger (junger) Mann;* ~kontrakt, der; ~**lustig** <Adjektiv; ohne Steigerung; nicht adv.> (scherzhaft): *gewillt, gesonnen zu heiraten; damals war er ein -er junger Mann;* ~markt, der (scherzhaft): **a)** <ohne Plural> *Rubrik in einer Zeitung, Zeitschrift, unter der Heiratsannoncen abgedruckt sind;* **b)** *Veranstaltung o.Ä., bei der viele Leute im heiratsfähigen Alter zusammentreffen, bei der sich die Gelegenheit zum Kennenlernen eines möglichen Ehepartners ergibt; ihre Feste sind die reinsten Heiratsmärkte;* ~plan, der <meist Plural>: svw ↑~absicht: jemandes Heiratspläne billigen; ~schwindel, der: *das Vorspiegeln von Heiratsabsichten zu dem Zweck, von dem Partner Geld oder andere Werte zu erschwindeln;* dazu: ~schwindler, der: *jemand, der Heiratsschwindel betreibt; sie war einem H. zum Opfer gefallen;* ~urkunde, die: *Urkunde, die bescheinigt, dass eine Ehe auf dem Standesamt geschlossen wurde;* ~urlaub, der: *Urlaub, den ein Soldat zum Zweck der Eheschließung erhält;* ~vermittler, der: *jemand, der gewerbsmäßig Ehen vermittelt (Berufsbezeichnung);* ~vermittlung, die: *gewerbsmäßige Eheanbahnung.*

b Nehmen Sie ein einsprachiges Wörterbuch. Schreiben Sie zu Wörtern, die mit den Bestimmungswörtern *Ehe, Braut* und *Hochzeit* gebildet sind, insgesamt fünf Fragen. Stellen Sie Ihre Fragen als Aufgaben in der Klasse.

c Schreiben Sie selbst einen Wörterbucheintrag.
Was bedeutet die Redensart: *nicht auf zwei Hochzeiten tanzen können*? Schreiben Sie zu zweit auf, was Sie sich darunter vorstellen. Benutzen Sie nicht Ihr Wörterbuch! Sieger ist das Paar, das der richtigen Bedeutung am nächsten kommt.

AB

__1__ Sehen Sie sich die Fotos auf Seite 76 an.

    ⓐ Welches Bild gefällt Ihnen besonders gut? Warum?

    ⓑ Wie würde diese Situation in Ihrem Heimatland aussehen?
Was wäre anders?

`AB`

__2__ Hören Sie die folgende Gesprächsrunde.

Charakterisieren Sie die drei Gesprächspartner.

    ⓐ Welchen Typ verkörpern die Sprechenden?

    ⓑ Welche Einstellung zum Heiraten haben sie? Begründen Sie Ihre Antwort.

Gesprächspartner	Typ	Einstellung
Frau Schüller	*frisch verheiratet*	*positiv*
Herr Klotz		
Herr Dreyer		

__3__ Lesen Sie die Aussagen unten.

Hören Sie das Gespräch noch einmal. Entscheiden Sie während des
Gesprächs oder danach, wer was sagt.

Wer sagt was?

Aussagen	Frau Schüller	Herr Klotz	Herr Dreyer
1. Ich habe mir den Entschluss zu heiraten gut überlegt.	✗		
2. Ehe und Familie sind heutzutage schwer mit den persönlichen Interessen zu vereinbaren.			
3. Das Eheleben kann schnell langweilig werden.			
4. Die Ehe hat für mich etwas mit Sicherheit zu tun.			
5. Meine Unabhängigkeit bedeutet mir persönlich sehr viel.			
6. Mit Mitte zwanzig war ich einfach noch nicht bereit für eine feste Bindung.			
7. Während des Studiums war für mich das Eheleben etwas sehr Schönes.			
8. Wenn man Kinder hat, ändert sich die Einstellung zur Ehe.			
9. Es ist möglich, dass Ehepartner in Freundschaft auseinander gehen.			
10. Man muss nicht unbedingt heiraten, wenn man mit einem Partner zusammenleben möchte.			

`AB`

__4__ Was raten die drei jungen Leuten?

Hören Sie dazu den Schluss des Gesprächs und notieren Sie.

Frau Schüller: ....
Herr Klotz: ....
Herr Dreyer: ....

__5__ Meinungen über das Heiraten

Welche der drei Ansichten über das Heiraten gefällt Ihnen am besten?
Warum?

Sprechen Sie zuerst kurz zu zweit darüber und sagen Sie Ihre Meinung
danach in der Klasse.

__1__ Erzählen Sie diese Bildgeschichte.

Beginnen Sie so:

Der 13. Mai war ein besonderer Tag für …

Denken Sie sich ein Ende für diese Geschichte aus.

__2__ Wie endet die Geschichte wirklich?

Schlagen Sie nach auf Seite 160.

_1_ Machen Sie diesen Test.

BIST DU EINE KLETTE?

In diesem Test kannst du herausfinden, ob du deinem Partner/deiner Partnerin genügend Freiheiten zugestehst. Kreuze bitte bei den folgenden Satzergänzungen und Fragen jeweils die Antwort an, die am ehesten auf dich zutrifft.

1. Wenn ich die Beziehung zu meinem Partner/meiner Partnerin in einem einzigen Satz ausdrücken müsste, würde ich sagen, er/sie ist...

a der Mittelpunkt meines Lebens.

b jemand, mit dem ich in den wichtigsten Dingen übereinstimme.

c jemand, mit dem ich die Zeit genieße, solange wir ineinander verliebt sind.

d nicht ganz so wichtig wie meine beste Freundin/mein bester Freund.

2. Wenn ich Streit mit meinem Partner/meiner Partnerin habe,

d gebe ich keine Ruhe, bevor wir die Sache geklärt haben.

c kann er/sie mir den Buckel runterrutschen und ich erwarte, dass er/sie sich bei mir entschuldigt.

a grüble ich darüber nach, was ich falsch gemacht habe.

b ziehe ich mich erst mal verärgert zurück.

3. Auf einer Fete flirtet er/sie hemmungslos mit seiner Exfreundin/ihrem Exfreund.

c Ich strafe ihn/sie durch Nichtachtung.

b Ich weiche keinen Moment von seiner/ihrer Seite und verscheuche jede Konkurrenz.

a Ich werde rasend eifersüchtig und stelle ihn/sie noch an Ort und Stelle zur Rede.

d Ich lasse ihm/ihr seinen/ihren Spaß und amüsiere mich anderweitig.

4. Er/Sie geht ins Kino. Ich bin erkältet und kann nicht mit.

c Schlecht gelaunt koche ich mir eine Tasse Tee und verziehe mich ins Bett.

a Ich bin enttäuscht, dass er/sie sich ohne mich amüsiert, und denke den ganzen Abend immer wieder daran.

d Ich wünsche ihm/ihr viel Spaß und kuriere mein Fieber aus.

b Ich finde es im Grunde schade, dass er/sie nicht bei mir ist.

5. Wenn ich mit meinem Partner/meiner Parterin zusammen essen gehe,

a bestelle ich gern das Gleiche wie er/sie.

c weiß ich meistens sofort, was ich will, und bestelle es.

b kann ich mich nur schwer entscheiden.

d probiere ich am liebsten mal was Neues aus, das ich nicht kenne.

6. Den Geburtstag meines Partners/meiner Partnerin

b feiere ich am liebsten mit ihm/ihr zu zweit.

d feiere ich mit einer großen Überraschungsparty, die ich organisiere.

c feiere ich ganz spontan, zur Not auch mit einem Geschenk in letzter Minute.

a plane ich schon lange im Voraus und zerbreche mir den Kopf über ein Geschenk.

7. Der schlimmste Liebeskiller ist für mich,

b wenn wir oft streiten.

d wenn ich mich mit ihm/ihr langweile.

a wenn ich ihn/sie selten sehe.

c wenn ich mich eingeengt fühle.

Klette, die: an Wegrändern wachsende Pflanze mit hakigen Stacheln, die leicht an Kleidern haften; Du hast dich wie eine K. an ihn gehängt (umgangssprachlich): in lästiger Weise an ihn geklammert.

_2_ Zählen Sie zusammen, wie viele Antworten Sie zu den Buchstaben A, B, C und D haben.

Zu welchem Buchstaben haben Sie die meisten Antworten?
Das ist Ihr Typ. Lesen Sie nun Ihre Auflösung des Tests.

TYP A

Nähe und Harmonie in der Beziehung gehen dir über alles. Du neigst dazu, deinen Freund/deine Freundin zum Mittelpunkt deines Lebens zu machen und ihn/sie durch eine rosarote Brille wahrzunehmen. Dabei zeigst du viel Einfühlungsvermögen und bist bereit, für den anderen Opfer auf dich zu nehmen. Aber du machst dich zu sehr von deinem Freund/deiner Freundin abhängig, was so weit gehen kann, dass du nicht mehr in der Lage bist, eigene Entscheidungen zu treffen. Spannungen und Konflikte in der Beziehung machen dir Angst und eine andere Meinung erlebst du nicht als mögliche Bereicherung, sondern als Bedrohung. Deshalb schließt du dich eher der Meinung des anderen an, als einen Streit zu riskieren.

TYP B

Du fühlst dich in deinen eigenen Bedürfnissen, Wünschen und Urteilen oft unsicher und traust dich nicht, dich auch mal gegen heftigen Widerstand durchzusetzen. Deshalb ist es dir wichtig, jemanden an deiner Seite zu haben, an dem du dich orientieren kannst. Du bist ziemlich tolerant und lässt deinem Partner/deiner Partnerin Raum für Aktivitäten, ohne gleich eifersüchtig zu werden oder dich verlassen zu fühlen. Unter Umständen profitierst du sogar von seinen/ihren Unternehmungen. Aber was ist mit deiner ganz persönlichen Entfaltung? Klebst du da nicht zu sehr an deinem Freund/deiner Freundin und kümmerst dich zu wenig um deine eigenen Interessen?

TYP C

Du wirkst unabhängig und machst jedem klar, dass andere in deinem Leben nur die zweite Geige spielen. Du achtest sehr darauf, niemanden zu brauchen und auf niemanden angewiesen zu sein. Du hast gelernt, Menschen auf Distanz zu halten und in deinen Liebesbeziehungen den Ton anzugeben. Bei Unstimmigkeiten fürchtest du keinen Streit, kannst dich aber auch aus Ärger beleidigt zurückziehen. Eifersucht begegnest du mit kleinen Flirts. Droht eine Trennung, hast du schnell selbst den Schlussstrich gezogen, bevor es der andere tut. Hinter dieser Souveränität verbirgt sich jedoch auch deine Angst vor wirklicher Nähe. Du befürchtest, verletzt zu werden, wenn du tiefere Gefühle für jemanden entwickelst.

TYP D

Klammern ist nicht deine Sache. Du liebst deine Freiheit und Unabhängigkeit und gestehst sie auch deinem Partner/deiner Partnerin zu. Im Gegenteil: Jemand, der sich zu eng an dich bindet und dauernd nach deiner Pfeife tanzt, langweilt dich und geht dir schnell auf die Nerven. Du magst Risiko und Abwechslung und suchst dir dein Maß an Nervenkitzel auch außerhalb der Beziehung. Du bist Flirts nicht abgeneigt, solange sie unverbindlich bleiben. Allerdings verlierst du dabei leicht aus dem Auge, wann der Spaß für deinen Partner/deine Partnerin verletzend wird, und setzt eure Beziehung aufs Spiel, ohne es zu wollen. Trennungen machen dir nicht allzu viel Angst, weder kurzfristige noch endgültige.

AB

__3__ Fassen Sie mündlich die wichtigsten Informationen zusammen.

Über Typ A wird gesagt, dass er ...
Laut der Testauflösung sind Menschen dieses Typs ...
Für diese Menschen ist angeblich wichtig, dass sie ...

__4__ Trifft die Charakterisierung auf Sie zu?

_GR_ __5__ Ordnen Sie folgende Nomen. GR S. 80/4

Text: TYP A	Text: TYP B	Text: TYP C	Text: TYP D
die Nähe – die Harmonie – die Entscheidung – die Spannung – die Meinung – die Bereicherung – die Bedrohung	das Bedürfnis – der Wunsch – das Urteil – der Widerstand – die Aktivität – die Unternehmung – die Entfaltung	die Beziehung – die Unstimmigkeit – der Ärger – die Trennung – der Streit – die Souveränität	die Freiheit – die Unabhängigkeit – die Abwechslung – der Nervenkitzel – das Spiel

Wortstamm -*ung*	Verb	Wortstamm -	Verb	Wortstamm -*ität*	Adjektiv
Beziehung	beziehen	Wunsch	wünschen	Aktivität	aktiv

Wortstamm -*nis*	Verb	Wortstamm -*e*	Adjektiv	Wortstamm -*(ig)keit/heit*	Adjektiv
Bedürfnis	bedürfen	Nähe	nah	Unabhängigkeit	unabhängig

AB

_GR_ __6__ Welches Genus haben die Nomen der verschiedenen Gruppen?

_GR_ __7__ Finden Sie zu jeder Gruppe zwei bis drei weitere Beispiele.

__1__   Sprechen Sie über die Fotos.

Beschreiben Sie, was Sie sehen. Äußern Sie danach
Vermutungen über folgende Fragen:

ⓐ Welche Situation ist dargestellt?
ⓑ Wann und wo wurden die Aufnahmen gemacht?
ⓒ Welche Beziehung besteht zwischen den Personen?

__2__   Begründen Sie diese Vermutungen.

Etwas beschreiben
Auf dem ersten Bild sieht man ...
Da ist ... zu sehen.
Man erkennt ...

Vermutungen äußern
Das ist wahrscheinlich ...
Das könnte ... sein.
Es scheint, dass ...
Es sieht so aus, als ob ...
Vermutlich ...

AB

SCHREIBEN

schätzchen

__1__ Lesen Sie die Zuschrift eines Lesers, die in einer deutschsprachigen
Zeitschrift zum Thema „Kosenamen" abgedruckt wurde.

Liebchen

Markus Schmidt, 19, Erfurt

Leider habe ich die Gabe, mich selten, aber dafür umso intensiver in Frauen zu ver-
lieben, die schon vergeben sind. Schatzi, Hasi, Mausi würde ich meine Möchte-gern-
Freundin nie nennen. Aber Pünktchen! Sie ist klein (wie ich) und hat im Gesicht
lauter Sommersprossen. Pünktchen eben, die ihr Gesicht viel interessanter machen.
Am liebsten würde ich all ihre Pünktchen küssen.

Herzchen

Liebling

__2__ Bringen Sie die folgenden Sätze einer weiteren Zuschrift
in die richtige Reihenfolge.

Bärchen

a Markieren Sie zuerst alle Wörter, die zwei Sätze oder Nebensätze
verbinden können (z.B. _dann_).

b Setzen Sie danach den Text richtig zusammen.

Mausi

☐ Er nennt mich auch immer Martina.
☐ Dann geht mir das Herz über vor Liebe.
☐ Ich heiße eigentlich Martina.
☐ Aber in Momenten, in denen er richtig glücklich ist,
sagt er manchmal „meine kleine Prinzessin" zu mir.
☐ Natürlich sagen alle Tina oder Tini zu mir.
☐ Denn ich finde, dass dieser Name wirklich was Besonderes ist.
☐ Mein Freund Christian hasst es im Grunde,
wenn man sich irgendwelche Kosenamen gibt.

Stinker

mein kleiner ...

__3__ Formulieren Sie selbst eine Zuschrift an die Zeitschrift.

Anschrift Redaktion der Zeitschrift Berliner
Wannseestraße 8
10756 Berlin

Ort, Datum

Betreff Kosenamen/Ihr Artikel vom 17.9.20..

Anrede Sehr geehrte Damen und Herren,
Einleitung Wer sind Sie und woher kommen Sie?
Hauptteil Warum schreiben Sie?
Welche Kosenamen sind in Ihrer Sprache typisch (zwei Beispiele)?
Was bedeuten sie?
Welchen Kosenamen finden Sie persönlich originell und warum?

Grußformel Mit freundlichen Grüßen

Unterschrift _____

__4__ Kontrollieren Sie nach dem Schreiben Ihren Brief.

Fragen Sie sich dabei: Habe ich Anrede, Datum und Grußformel richtig
geschrieben? Habe ich alle Inhaltspunkte behandelt? Habe ich die Sätze
miteinander verbunden, d.h. Wörter wie _dann, deshalb_ usw. verwendet?

AB

1 Wann wurden diese beiden Personen wohl fotografiert?

☐ etwa zu der Zeit, als Ihre Eltern jung waren
☐ vor ungefähr 100 Jahren
☐ vor ungefähr 200 Jahren
☐ in den fünfziger Jahren

Wenn Sie wissen wollen, wer die beiden abgebildeten Personen sind, lesen Sie im Arbeitsbuch nach.

AB

2 Lesen Sie die Regieanweisung zu der Szene von Arthur Schnitzler.

Halb zwei

Es ist nachts, halb zwei Uhr. Bei ihr. Ein duftendes Zimmer, das beinahe ganz im Dunkel liegt. Nur die Ampel*, ein mildes Licht. – Auf dem Nachtkästchen eine kleine Standuhr und eine Wachskerze in kleinem Leuchter, ziemlich tief herabgebrannt. Daneben liegen eine angeschnittene Birne und Zigaretten.

Er und sie wachen eben beide nach leichtem Schlummer auf. Aber sie wissen nicht, dass sie geschlummert haben.

* altes Wort für Lampe

ⓐ Wo spielt die Szene?
ⓑ Wie ist die Atmosphäre?
ⓒ Wovon handelt die Szene wohl?

3 Sie hören die Szene jetzt in Abschnitten.

Bearbeiten Sie die Aufgaben nach jedem Abschnitt.

Abschnitt 1 Um was für eine Situation handelt es sich?

Abschnitt 2 Welche drei Dinge erfahren wir über das Leben des Mannes?

Abschnitt 3 ⓐ Wie ist die Beziehung der beiden Personen zueinander?
ⓑ Warum kann der Mann nicht bis zum Morgen bleiben?
☐ Weil er sonst keinen Schlaf findet.
☐ Wegen einer anderen Frau.
☐ Wegen seiner Krankheit.
☐ Weil die Nachbarn nichts mitbekommen sollen.

Abschnitt 4 ⓐ Was wirft die Frau dem Mann hier alles vor?
ⓑ Sind diese Vorwürfe berechtigt? Warum? Warum nicht?
ⓒ Wie endet die Szene wohl?

Abschnitt 5 Was wird wohl aus der Beziehung?
☐ Die beiden heiraten.
☐ Die beiden trennen sich.
☐ Die Beziehung wird genauso weitergeführt.

AB

4 Könnte diese Szene so auch heute spielen?
Warum? Warum nicht?

AB

ÜG S. 8

__1__ Genus der Nomen

Das Genus der Nomen gehört zu den Fakten der Grammatik, die man nicht selbst bilden oder erschließen kann. Man muss das Genus zusammen mit dem Artikel lernen. Es gibt jedoch einige Regeln, wie man an der Endung eines Nomens das Genus erkennen kann. In den Punkten 2, 3 und 4 finden Sie die wichtigsten Regeln. Sie gelten allerdings nicht ohne Ausnahmen.

ÜG S. 10

__2__ Pluralendungen

Im Deutschen unterscheidet man fünf Typen der Pluralbildung. Eine Flexionsendung bekommt nur der Dativ Plural (z.B. die Forscher – den Forschern), sofern das Wort nicht auf -n oder -s endet (z.B. die Taxis – den Taxis).

Typ	Plural-Endung	Singular	Plural	Kennzeichnung	Genus-Regeln
1	ohne	*der Forscher* *das Mädchen* *das Fenster*	*die Forscher* *die Mädchen* *die Fenster*	*der Forscher, -* *das Mädchen, -* *das Fenster, -*	• maskuline Nomen auf -er, -en, -el, -ler • neutrale Nomen auf -er, -en, -el, -chen, -lein
	¨	*der Vater* *der Garten* *der Apfel*	*die Väter* *die Gärten* *die Äpfel*	*der Vater, ¨* *der Garten, ¨* *der Apfel, ¨*	
2	-e	*der Kommentar* *das Regal* *das Ereignis*	*die Kommentare* *die Regale* *die Ereignisse*	*der Kommentar, -e* *das Regal, -e* *das Ereignis, -se*	• maskuline und neutrale Nomen auf -al, -ar • maskuline Nomen auf -ich, -ling • neutrale Nomen auf -nis
	¨e	*der Kopf* *die Brust*	*die Köpfe* *die Brüste*	*der Kopf, ¨e* *die Brust, ¨e*	
3	-er	*das Kind* *das Bild*	*die Kinder* *die Bilder*	*das Kind, -er* *das Bild, -er*	• einsilbige neutrale Nomen • maskuline und neutrale Nomen auf -tum • einige maskuline Nomen
	¨er	*der Reichtum* *der Mann* *das Haus*	*die Reichtümer* *die Männer* *die Häuser*	*der Reichtum, ¨er* *der Mann, ¨er* *das Haus, ¨er*	
4	-(e)n	*die Freundschaft* *die Forscherin* *die Sympathie* *der Autor* *der Student*	*die Freundschaften* *die Forscherinnen* *die Sympathien* *die Autoren* *die Studenten*	*die Freundschaft, -en* *die Forscherin, -nen* *die Sympathie, -n* *der Autor, -en* *der Student, -en*	• feminine Nomen auf -el, -ie, -rei, -in, -heit, -keit, -schaft, -ung, -ion, -ur, -ette • maskuline Nomen auf -or, -ant, -ent, -ist
5	-s	*der Flirt* *die Kamera* *das Hotel* *der LKW*	*die Flirts* *die Kameras* *die Hotels* *die LKWs*	*der Flirt, -s* *die Kamera, -s* *das Hotel, -s* *der LKW, -s*	• Fremdwörter aus dem Englischen und Französischen • Abkürzungen

ÜG S. 20

__3__ Zusammengesetzte Nomen

a Ein zusammengesetztes Nomen wird aus zwei oder mehr Wörtern gebildet:

Nomen + Nomen	Adjektiv + Nomen	Verb + Nomen	Präposition + Nomen
Party + Stimmung (f) die Partystimmung	neu + Orientierung (f) die Neuorientierung	lernen + Problem (n) das Lernproblem	gegen + Argument (n) das Gegenargument

Das letzte Wort des zusammengesetzten Nomens ist das Grundwort.
Es bestimmt den Artikel. Der erste Teil des zusammengesetzten Nomens
spezifiziert das Grundwort und heißt Bestimmungswort.

b **Fugenzeichen:** Manchmal sind die Teile des zusammengesetzten
Nomens mit einem -*s*- verbunden. Beispiel: *der Liebesbrief*. Nach Nomen
mit den Endungen -*heit*, -*ung*, -*ion*, -*keit*, -*ling*, -*schaft*, -*tät* wird ein
Fugen-*s* eingefügt. Die Fugenzeichen -*n* und -*er* lassen sich aus den
Pluralendungen erklären: *die Gruppenreise, der Bücherschrank.*

4 **Nominalisierung** ÜG S. 20
Die Nominalisierung ist im Deutschen häufig, besonders in geschriebenen
Texten. Dabei wird eine andere Wortart zum Nomen.

aus dem Verb		aus dem Adjektiv	
leben	– das Leben	nah	– die Nähe
erkennen	– die Erkenntnis	zweideutig	– die Zweideutigkeit

a deutsche Nominalisierungen ohne Nachsilbe

Infinitiv	Wortstamm	Vorsilbe *Ge-*	dekliniertes Adjektiv
das Essen (essen),	der Flug (fliegen)	das Gefühl (fühlen)	das Gute (gut)
das Leben (leben)	der Gang (gehen)	der Gesang (singen)	das Schöne (schön)

b Nachsilbe deutscher Nominalisierungen

Nachsilbe	Beispiel	Nachsilbe	Beispiel
-e	die Lage (liegen)	-nis	das Erlebnis (erleben)
-t	die Fahrt (fahren)	-sal	das Schicksal (schicken), die Mühsal (sich mühen)
-ei	die Schlägerei (schlagen)	-sel	das Rätsel (raten)
-heit	die Freiheit (frei)		
-keit	die Eitelkeit (eitel)	-tum	der Reichtum (reich), das Wachstum (wachsen)
-igkeit	die Lieblosigkeit (lieblos)	-er	der Sender (senden)
-schaft	die Bereitschaft (bereit)	-ling	der Lehrling (lehren)
-ung	die Bedeutung (bedeuten)		

Feminine Nominalisierungen bilden den Plural mit -*n*/-*en*.

c Nachsilben fremdsprachlicher Nominalisierungen
Das Deutsche hat viele Wörter aus anderen europäischen Sprachen, insbe-
sondere dem Englischen und Französischen, übernommen. Diese Wörter
nennt man Internationalismen.

Nachsilbe	Beispiel	Nachsilbe	Beispiel	Nachsilbe	Beispiel
-ade	die Limonade	-esse	das Interesse,	-ant	der Emigrant*
-age	die Reportage		die Delikatesse	-ar	der Kommissar*
-anz	die Toleranz	-ing	das Marketing	-är	der Funktionär*
-enz	die Tendenz	-(i)um	das Studium	-at	der Bürokrat*
-ette	die Tablette	-ma	das Thema	-ent	der Student*
-ie	die Harmonie	-ment	das Parlament	-eur/-ör	der Friseur, Frisör*
-ik/-atik	die Lyrik, Problematik	-ar	das Vokabular	-iker	der Physiker*
-ion/-ation	die Region, Isolation	-är	das Militär	-ist	der Optimist*
-ose	die Diagnose	-ismus	der Kapitalismus	-loge	der Archäologe*
-ität	die Souveränität	-asmus	der Enthusiasmus	-nom	der Ökonom*
-ur/-üre	die Literatur, Lektüre	-us	der Zyklus	-or/-ator	der Autor, Diktator*

* Personen in femininer Form mit Nachsilbe -*in*, Beispiel: *die Emigrantin*

BERUF

1 Beantworten Sie zu zweit folgende Fragen.
Besprechen Sie die Antworten in der Klasse.

a Was ist an diesem Bild ungewöhnlich? Warum?
b Welchen Beruf übt diese Person aus?
c Woran haben Sie das erkannt?
d Kennen Sie noch andere typische Männer-
oder Frauenberufe?

2 Welche Möglichkeiten hat man, einen
Arbeitsplatz zu finden?

Machen Sie Vorschläge und berichten Sie von Ihren
persönlichen Erfahrungen.

LESEN 1

<u>1</u>   Stellenangebote

Folgende Personen möchten sich auf Stellenangebote
in der Zeitung bewerben. Welche Stelle passt zu welcher Person?
Berücksichtigen Sie dabei sowohl die geforderten Qualifikationen als
auch die Wünsche der Bewerber.

Bewerber	A	B	C	D	E	F
Anzeige	4					

A Jürgen Roth (23) ist ein kontaktfreudiger
Einzelhandelskaufmann, der den Umgang mit Computern nicht
scheut. Er war bisher in der Kundenberatung einer Lederwarenfirma
tätig und würde am liebsten weiterhin viel mit Menschen zu tun haben.

B Erika Wagner (28) möchte nach mehreren „Babyjahren"
wieder ins Berufsleben einsteigen. Sie hat einige Semester
Sprachen (Englisch, Französisch) studiert und in den Semesterferien im
Büro als Schreibkraft gearbeitet. Sie muss ihre Kinder täglich um
14 Uhr mit dem Auto vom Kindergarten abholen.

C Sabine Lang (21) hat nach dem Abitur im Ausland (Italien und
Frankreich) Sprachen studiert und sucht nun einen krisen-
sicheren Arbeitsplatz. Sie ist karriereorientiert und bereit, eine Berufsausbildung zu machen bzw. berufsbezogen zu lernen.

D Markus Baumeister (25) ist Student und sucht zur Finanzie-
rung seines Sportwagens einen Nebenjob, der ihm noch Zeit
für sein Studium lässt. Er hat EDV-Kenntnisse und ist gern mit anderen
Menschen zusammen.

E Hermann Hecht (35) ist Speditionskaufmann und hat Berufserfahrung in der Auslandsabteilung einer Möbelfirma gesam-
melt. Dort verhandelte er häufig auf Englisch, er spricht aber auch
einige romanische Sprachen. Seine Hobbys sind Radfahren, Fischen
und Wandern.

F Martina Esser (34) arbeitet bei einer Reifenfirma als
Vertreterin. Dabei stört sie, dass sie viel mit dem Auto unterwegs ist und häufig im Hotel übernachten muss. Sie sucht einen festen
Arbeitsplatz, an dem sie ihre Qualitäten im Umgang mit Kunden einsetzen kann.

<u>GR   2</u>   Ergänzen Sie die Sätze mit Hilfe der Personenbeschreibungen.   GR S. 97/98

Herr Roth sollte sich um die Stelle als Verkaufsassistent bewerben,
a weil (da) *er eine Berufsausbildung als Einzelhandelskaufmann hat.*
b denn ....
c .... nämlich ....
Jürgen Roth war bereits in einer Lederwarenfirma tätig,
d deshalb ....
e folglich ....
f Aufgrund *seiner Berufserfahrung* eignet er sich als Verkaufsassistent.
g Wegen .... sollte er sich um die Stelle als
Verkaufsassistent bewerben.

1

Wir sind einer der führenden europäischen Hersteller von Angelsportgeräten

Da wir kontinuierlich unsere Marktanteile in Deutschland und Europa ausweiten, suchen wir zum schnellstmöglichen Eintritt für unsere Abteilung Einkauf ein(e)n

Zentral-EINKÄUFER/IN

In dieser Schlüsselfunktion werden Sie ein kleines Team führen und eine Zentralfunktion zwischen Vertrieb Inland, unseren Auslandsfirmen, dem Produktmanagement und den Lieferanten bilden

Wir legen Wert auf Teamarbeit, eine kaufmännische Ausbildung mit dem Schwerpunkt Import/Export in Verbindung mit mehrjähriger Erfahrung im Einkauf. Sie sind bis 40 Jahre alt und beherrschen die englische Sprache in Wort und Schrift. Grundkenntnisse in Französisch und Italienisch wären neben anglerischen Kenntnissen von Vorteil. Branchenkenntnisse werden nicht vorausgesetzt.

Wenn Sie diese hochinteressante Aufgabe reizt, bewerben Sie sich bitte mit aussagekräftigen Unterlagen bei unserer Personalabteilung.

I.A.M.
Internationale Angelgeräte Manufaktur
Hellmuth Mohr GmbH & Co. KG
Postfach, 91709 Gunzenhausen

4

David

WIR SIND EIN DYNAMISCHES UNTERNEHMEN IM YOUNG FASHION-BEREICH. WIR SUCHEN FÜR UNSEREN SHOWROOM EINE/N

VERKAUFSASSISTENT/IN

ZUR VERSTÄRKUNG DES VERKAUFSTEAMS. SIE HABEN EINE FUNDIERTE BERUFSAUSBILDUNG SOWIE EDV-KENNTNISSE, SIND SCHON HEUTE IM VERKAUF ERFOLGREICH TÄTIG, NEUKUNDENAKQUISITION IST FÜR SIE KEIN FREMDWORT, DER UMGANG MIT KUNDEN IST IHNEN VERTRAUT UND SIE HABEN EIN ÜBERDURCHSCHNITTLICHES GESPÜR FÜR MODE UND TRENDS. WENN SIE DIESE CHANCE REIZT, IN EINEM ERFOLGREICHEN UND JUNGEN TEAM MITZUARBEITEN, BITTEN WIR UM IHRE AUSSAGEFÄHIGE SCHRIFTLICHE BEWERBUNG MIT LICHTBILD AN DIE UNTEN STEHENDE ANSCHRIFT.

DAVID SHOWROOM · Z.HD. REINER WINTER
FASHION ATRIUM RAUM 116 · NEUBIBERGER STR. 44 · 81737 MÜNCHEN

5

Infratest sucht
Interviewer/innen
als freie Mitarbeiter für die Durchführung von Interviews, vorwiegend in Privathaushalten auf Erfolgsbasis, bei freier Zeiteinteilung.
Wenn Sie älter als 24 Jahre sind und Ihnen ein Pkw zur Verfügung steht, bewerben Sie sich (Postkarte genügt) bei der
Infratest AG,
Abt. HZ, Landsberger Str. 33, 80687 München
Wir informieren Sie schnell, unverbindlich und kostenlos!

6

Die KV ist mit über 2,6 Mio. Versicherten Europas führender Spezialist für die private Krankenversicherung. Wir expandieren weiter und suchen Sie als Kaufleute für den Vertrieb.

Mitdenken, Mitwachsen, Mitverantworten

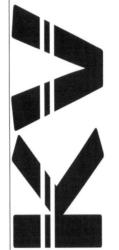

- Sie haben Interesse am Verkauf.
- Sie verfügen über Engagement, denken unternehmerisch und handeln zielorientiert.
- Sie haben Motivation, sich zum Leiter des eigenen Versicherungsfachgeschäftes zu entwickeln.

Wir vermitteln Ihnen während einer fundierten 12-monatigen Ausbildung zum/zur geprüften Versicherungsfachmann/-fachfrau die Grundlage für Ihre Tätigkeit.

Reizt Sie diese Herausforderung? Dann freuen wir uns auf Ihre Bewerbung. Ihr Ansprechpartner ist Herr Schön unter Telefon 089/ 5 14 07-854

Geschäftsstelle München
Kaiser-Ludwig-Str. 11 · 80336 München

KV
Krankenversicherung AG
Die Nr. 1 unter den Privaten.

2

Ein Hotel ist nur so gut wie seine Mitarbeiter und deshalb suchen wir für das Hotel International einen

HOTELDIENER
mit Führerschein Klasse III

Wenn Sie gerne in zentraler Lage arbeiten möchten, sich Ihr gepflegtes Äußeres mit sicherem Auftreten paart und Sie darüber hinaus über Englischkenntnisse verfügen, senden Sie Ihre schriftliche Bewerbung mit Lichtbild, Zeugnis und Lebenslauf an unsere Personalleiterin Frau Brigitte Wolke, oder Sie kontaktieren uns ab Montag unter Telefon: 089/ 55 15 71 19.

HOTEL INTERNATIONAL
Schützenstraße 8 · 80335 München
Tel.: 089/ 55 15 7-0

3

Hans Nauhaner sucht

zur Verstärkung des Neuwagenverkaufsteams einen Profi als

Automobilverkäufer/in

Wir erwarten Erfahrung im Verkauf, Teamgeist, sympathisches Auftreten, Abschlusssicherheit sowie selbstständiges Handeln und Zielstrebigkeit, um unsere Marktposition weiter auszubauen. Haben Sie Interesse an dieser abwechslungsreichen Position, dann senden Sie Ihre Bewerbungsunterlagen an Herrn Siegfried König. Wir werden uns mit Ihnen in Verbindung setzen, da wir diese Stelle schnellstens besetzen werden.

Hans Nauhaner GmbH
Leonrodplatz 1, 80636 München, Tel. 089/ 17 30 536

7

Telekommunikation hat Zukunft

Wir sind eines der führenden Systemhäuser im stark expandierenden Markt der Daten- und Telekommunikation. Wir suchen zum nächstmöglichen Zeitpunkt für den Empfang

2 Telefonistinnen

die sich im Jobsharing die Arbeitszeit von 8.00–17.30 Uhr teilen.
Sie sind ein wichtiges Aushängeschild für unser Unternehmen. Deshalb wünschen wir uns freundliche und vor allem sehr engagierte Kolleginnen, die auch in hektischen Situationen nicht aus der Ruhe kommen.

Natürlich beherrschen Sie Englisch in Wort und Schrift und haben ausreichend PC-Erfahrung (Winword). Über die Tätigkeit in der Telefonzentrale und dem Empfang hinaus werden Sie auch für den Posteingang und -ausgang, den Einkauf des Büromaterials sowie die Eingabe/Pflege von Daten unseres Adress- und Archivierungssystems verantwortlich sein.

Wir bieten Ihnen einen modern ausgestatteten Arbeitsplatz, ein leistungsorientiertes Gehalt, gute Sozialleistungen sowie ein angenehmes Betriebsklima.

Sind Sie interessiert? Dann senden Sie Ihre Bewerbungsunterlagen an:
Telebit GmbH Kommunikationssysteme, Edith Schlechter, Ungererstr. 148, 80805 München,
Tel. 089/ 3 60 73-321

GR 3 · Die farbig gedruckten Wörter in Aufgabe 2 nennt man Konnektoren und Präpositionen.

Wiederholen Sie die Regeln zu kausalen und konsekutiven Satzverbindungen.

1.	Hauptsatz *Er bewirbt sich,*	*denn*	Hauptsatz *er interessiert sich für die Stelle.*
2.	Hauptsatz + Hauptsatz *Er bewirbt sich. Er interessiert sich*	*nämlich*	Präpositionalergänzung *für die Stelle.*
3.	Hauptsatz *Er bewirbt sich,*	*weil*	Nebensatz *er sich für die Stelle interessiert.*
4.	Hauptsatz *Er interessiert sich für die Stelle,*	*deshalb*	Hauptsatz, Konnektor auf Pos. 1 *bewirbt er sich.*
5.	Hauptsatz *Er interessiert sich so sehr für die Stelle,*	*dass*	Nebensatz *er sich bewirbt.*
6.		Präposition + Nomen *Aufgrund seines Interesses*	Hauptsatz *bewirbt er sich.*

GR 4 · In welche der sechs Gruppen gehören folgende Konnektoren und Präpositionen?

wegen – deshalb – weil – deswegen – darum – so dass
nämlich – folglich – denn – aufgrund – da

GR 5 · Formulieren Sie zu zwei anderen Bewerbern je drei Sätze.

Verwenden Sie dabei die sechs Satzkategorien aus Aufgabe 3.

AB

6 · Was ist für Sie bei einem Beruf wichtig?

Kreuzen Sie an.

- ☐ gute Verdienst- und Aufstiegschancen
- ☐ hohes Prestige bzw. Ansehen
- ☐ gute Arbeitsbedingungen
- ☐ viel Freizeit
- ☐ dass ich mit Menschen zu tun habe
- ☐ dass ich anderen helfen kann
- ☐ ein sicherer Arbeitsplatz
- ☐ dass ich kreativ sein kann

7 · Sprechen Sie nun zu zweit darüber.

Begründen Sie Ihre Wahl.
Beispiele:

Für mich ist der Verdienst besonders wichtig, denn ich gebe gerne Geld aus, zum Beispiel für schnelle Autos.

Das Ansehen eines Berufes ist für mich wichtiger als der Verdienst. Deshalb würde ich lieber Professor an einer Universität werden als zum Beispiel Barbesitzer.

SCHREIBEN

1

Hermann Hecht möchte sich auf die Anzeige der Firma I.A.M. bewerben.

Er informiert sich in der Zeitschrift *Berufswahl-Magazin* vorher darüber, wie man sich heute richtig bewirbt.
Lesen Sie, was Personalexperten raten.

1

**Friedrich Knoll,
Bayer AG, Leverkusen**

Das „Bewerbungspaket" muss ein persönliches Anschreiben enthalten. Darin sollte kurz beschrieben werden, für welche Stelle man sich bewirbt und warum man sich dafür für geeignet hält. Außerdem sind ein tabellarischer Lebenslauf sowie Kopien der letzten Zeugnisse in chronologischer Reihenfolge beizulegen. Absolvierte Praktika oder besondere Kenntnisse, beispielsweise Fremdsprachen oder EDV[1], sollten aufgeführt und durch Zeugnisse bestätigt werden. Zu einer guten Bewerbung gehört natürlich auch ein neueres Passfoto.

[1] Elektronische Datenverarbeitung, d.h. Computer

2

**Sabine Schätze,
Barmer Ersatzkasse, Wuppertal**

Je individueller die Bewerbung ist, desto größer sind die Chancen, unter vielen Bewerbungen aufzufallen. Für das Bewerbungsschreiben ist eine Seite völlig ausreichend. Also heißt es, sich kurz zu fassen und trotzdem alle wichtigen Informationen unterzubringen. In den Briefkopf kommen Vor- und Familienname des Absenders mit vollständiger Adresse und Telefonnummer, die Anschrift des Empfängers sowie Ort und Datum. Auch wenn der Begriff „Betreff" heute nicht mehr verwendet wird, nennt man doch den Grund des Schreibens. Zum Beispiel: *Bewerbung um einen Ausbildungsplatz als Industriekauffrau*. In der Einleitung sollte der Anlass des Schreibens erwähnt werden. Danach stellt man sich kurz vor. Dabei werden die Fakten genannt, die den Stellenwunsch unterstützen. Dazu kommen Angaben zur derzeit ausgeübten Tätigkeit. Am Schluss des Briefes steht die Hoffnung, positiven Bescheid zu bekommen.

2

Hermann Hecht notiert sich, was er alles braucht.

Er kommt dabei auf vier Dinge. Unterstreichen Sie diese in Text 1.

`AB`

3

In welcher Reihenfolge stehen folgende Teile in einem formellen Brief?

Lesen Sie Text 2 noch einmal und werfen Sie einen Blick auf das Bewerbungsschreiben von Hermann Hecht auf Seite 86.

- ☐ die Anrede
- ☐ die Grußformel
- ☐ der Ort, das Datum
- ☐ die Einleitung
- ☐ 1 der Absender
- ☐ die Unterschrift

- ☐ der Hauptteil
- ☐ der Betreff
- ☐ der Schlusssatz
- ☐ die Anlagen
- ☐ der Empfänger

4

Lesen Sie das Bewerbungsschreiben auf Seite 86 nun genau.

Kreuzen Sie an, auf welche Punkte Herr Hecht besonders eingeht.

- ☐ auf die Qualifikationen, die für die Stelle verlangt werden
- ☐ auf die Bereiche seiner Berufserfahrung, die für die Stelle wichtig sind
- ☐ warum er seine letzte Stelle aufgegeben hat
- ☐ in welchen Bereichen er weniger gern arbeiten würde
- ☐ auf Kenntnisse und Fähigkeiten, die er außerhalb des Berufslebens erworben hat
- ☐ auf verschiedene private Interessen

Hermann Hecht · Forellenweg 12 · 98553 Fischbach · Tel. 036841/7784

I.A.M.
Internationale Angelgeräte
Manufaktur
Postfach
91709 Gunzenhausen

Fischbach, den 29.3.20..

Ihr Stellenangebot - Zentraleinkäufer

Sehr geehrte Damen und Herren,

mit großem Interesse habe ich Ihre Anzeige in der SZ vom 26.3.20.. gelesen. Sie suchen für Ihre Einkaufsabteilung einen Zentraleinkäufer.

Für diese verantwortungsvolle Aufgabe bringe ich alle Voraussetzungen mit. Als ausgebildeter Speditionskaufmann war ich bereits einige Jahre im Import-Export-Bereich einer Möbelfirma tätig. Dabei konnte ich auch Erfahrung in der Einkaufsabteilung sammeln, wo Gespräche mit ausländischen Lieferanten häufig auf Englisch, aber auch auf Französisch oder Italienisch geführt wurden.

Ich arbeite bevorzugt mit Kollegen in einem Team. Da ich mich in meiner Freizeit gerne mit Angeln beschäftige, habe ich mir auch einige Kenntnisse über Fische und Anglerausrüstung angeeignet.

Über eine Einladung zu einem Vorstellungsgespräch würde ich mich sehr freuen.

Mit freundlichen Grüßen

Hermann Hecht

Anlagen:
Lebenslauf
Zeugnisse

_5_   Bewerbung

Schreiben Sie nun mit Hilfe der fett gedruckten Textstellen
ein Bewerbungsschreiben für eine der Personen auf Seite 82.

- Achten Sie auf den richtigen Aufbau eines formellen Briefs.
- Beziehen Sie sich auf die in der Anzeige geforderten Qualifikationen und Fähigkeiten.
- Begründen Sie, warum die Person für diese Stelle geeignet ist.
- Lesen Sie Ihren Text Korrektur. Achten Sie beim ersten Lesen besonders auf den Satzbau, die Endungen sowie Groß- und Kleinschreibung.

AB

HÖREN 1

1   Nähere Informationen einholen

Frau Schwarz hat die Stellenanzeige eines Ingenieurbüros
in der Zeitung gelesen. Sie hätte gern weitere Informationen
zu der Stelle. Deshalb ruft sie die Firma an.
Hören Sie das Gespräch und notieren Sie Stichpunkte.

ⓐ Grund für den Anruf: ___*Stellenanzeige in der Zeitung*___

ⓑ Die Anruferin wird weitergeleitet an: _____

ⓒ Die Firma Unger & Co. sucht: _____

ⓓ Voraussetzungen für die Tätigkeit: _____

ⓔ Beruf der Interessentin: _____

ⓕ Aufgaben: _____

_____

_____

ⓖ Der Arbeitsplatz befindet sich: _____

ⓗ Arbeitszeitwunsch von Frau Schwarz: _____

ⓘ Die Interessentin soll schicken: _____

`AB`

`6`

2   Um Auskunft bitten

Franz Förs findet eine viel versprechende Annonce in der
Zeitung. Er ruft unter der angegebenen Telefonnummer an
und möchte einige Auskünfte.

ⓐ Hören Sie das Gespräch. Worüber möchte sich Herr Förs
informieren? Machen Sie beim ersten Hören Stichpunkte.
1. Art der Tätigkeit
2. ...
3. ...

ⓑ Wie entscheidet sich der Anrufer? Was vereinbart er mit Frau Lerch?   `AB`

ⓒ Hören Sie das Gespräch ein zweites Mal in Abschnitten.
Ergänzen Sie jeweils die Fragen, mit denen man um Auskunft bitten kann.

- ■   Könnten Sie mir vielleicht etwas über die Tätigkeit sagen?
- ■   _____, wie die Arbeitszeiten in etwa aussehen?
- ■   _____ zwischen 8 und 22 Uhr?
- ■   _____, ob man mit dem eigenen Wagen fährt
  oder einen Firmenwagen bekommt?
- ■   _____ mit der Einarbeitung?
- ■   Frau Lerch, _____, dass ich Sie noch mal anrufe?

SPRECHEN 1

1 Ordnen Sie zu.

a Wie leitet man ein Telefongespräch ein?

b Wie bittet man um Vermittlung zu einem anderen Gesprächspartner?

c Wie beendet man ein Gespräch?

☑ Hier spricht Olaf Meier. Ich habe Ihre Anzeige in der Zeitung gelesen.

☐ Guten Tag, ich hätte gern mit jemandem von der Personalabteilung gesprochen.

☐ Verbleiben wir also so, dass ich Ihnen die Unterlagen schicke?

☐ Ja, hallo, hier ist Marta Beck. Bin ich mit der Firma Bayer verbunden?

☐ Guten Tag. Hier spricht Herbert Fischer. Könnten Sie mich bitte mit Herrn Kugler verbinden?

☐ Dann will ich Sie nicht weiter stören. Auf Wiedersehen, Herr Strauß.

2 Wählen Sie zu zweit eine der folgenden Anzeigen aus.

Fitnessclub Arabellapark su. Sportlehrer/in f. freiberufl. Tätigkeit Tel.: 0871/33 64 31	DETEKTIV/IN für besondere Aufgaben gesucht. Tel.: 089/ 89 75 63
Raubtierdompteur/in für Wanderzirkus gesucht. Sehr gute Bezahlung. Tel.: 23 66 85	**Wohlhabendes älteres Ehepaar** sucht Hausdiener mit Referenzen in Festanstellung. Tel.: 08171/ 2234

2 Bereiten Sie nun selbst ein Telefongespräch vor.

Einer übernimmt die Rolle des Anrufers, der sich für eine Stellenanzeige interessiert. Gesprächspartner ist eine Mitarbeiterin/ein Mitarbeiter der Firma bzw. der Inserent. Das Gespräch sollte folgende Punkte behandeln: Ausbildung, Berufserfahrung, derzeitige Tätigkeit, Arbeitszeit, Gehalt, erwünschte Kenntnisse und Fähigkeiten. Lesen Sie zuvor die folgenden Sätze und klären Sie unbekannte Wörter oder Ausdrücke. Proben Sie dann den Dialog und spielen Sie ihn der Klasse vor.

Anrufer ▶◀ Mitarbeiter der Firma/Inserent

ein Telefongespräch einleiten
… ist mein Name. Sie haben inseriert, …
Hier spricht … Ich rufe an wegen …
Guten Tag, Anna Klein, ich interessiere mich für …

Begrüßung des Anrufers
Guten Tag, Frau/Herr …
auf eine Anfrage reagieren
Ja, wir brauchen …
Für diese Stelle suchen wir …

um Auskunft bitten
Ich würde gern wissen, …
Besteht denn die Möglichkeit, …
Wie ist das eigentlich mit …

Auskunft erteilen
Also, das ist folgendermaßen: …
Wir haben das so geregelt, dass …

Gegenfragen formulieren
Dürfte ich Sie auch etwas fragen? …
Woran haben Sie bei … gedacht?

auf Gegenfragen antworten

weitere Fragen des Anrufers einleiten
Haben Sie sonst noch Fragen?
Möchten Sie vielleicht sonst noch etwas wissen?

weitere Fragen stellen
Was mich noch interessieren würde, …
Außerdem wollte ich noch fragen, …

auf Fragen antworten

Gespräch beenden
Also, können wir so verbleiben? …
Ich schicke Ihnen dann … Auf Wiederhören.
Danke für das Gespräch. Auf Wiederhören.

sich verabschieden
Ja, gut. Ich hoffe, wieder von Ihnen zu hören.
Danke für Ihren Anruf. Auf Wiederhören!

1 Lesen Sie den folgenden Text.

Ordnen Sie die Sätze 1 bis 5 den Absätzen A bis E zu.

Berufsporträt

Anja Noack, Empfangskassiererin im Hotel

Während Anja Noack einem Japaner am anderen Ende der Leitung auf Englisch erklärt, dass für diese Nacht die Hotelsuite belegt ist, klingelt das zweite Telefon. Gleichzeitig bildet sich eine Schlange vor dem Tresen:

4 A Vor ihr stapeln sich unabgelegte Rechnungen und andere Papiere. Manchmal kommt man ganz schön ins Schwitzen. „Aber auch bei sehr viel Arbeit darf man sich den Stress nicht anmerken lassen", sagt Anja. Nach ihrer Lehre als Hotelfachfrau in Würzburg hat sie vor wenigen Monaten begonnen, an der Rezeption des Elysee-Hotels zu arbeiten.

B An der Rezeption, der ersten und letzten Anlaufstelle des Hotels, arbeiten neben Anja noch ein weiterer Kassierer, ein Telefonist, ein Chef vom Dienst und der Empfangschef. Anjas Aufgabe ist es, die Gäste ein- und auszuchecken. Bei der Ankunft begrüßt sie die Leute, füllt das Anmeldeformular aus und überreicht die Schlüssel.

C Sie hofft, dass ihr so etwas nie wieder passieren wird. Wenn Anja die Gäste auscheckt, muss sie die Rechnungen erstellen, kassieren und die Belege kontrollieren. In ruhigen Momenten bringt sie die Adressenkartei auf den neuesten Stand. „Wir an der Rezeption sind wichtig für den ersten und letzten Eindruck, den die Gäste von unserem Hotel haben. Darum müssen wir in jeder Situation freundlich und souverän bleiben." Wenn der Gast nicht zufrieden war – egal womit –, wird an der Rezeption gemeckert. Außerdem ist die Rezeption eine Art Info-Stand.

D Das ist für die 20-jährige Würzburgerin nicht ganz einfach in einer Stadt, die ihr selbst noch fremd ist. Aber zum Glück gibt es den Portier, der seit Jahren in Hamburg lebt. Bei Bedarf kümmert er sich um Tischreservierungen oder Kartenvorbestellungen. Anja macht die Arbeit ungeheuren Spaß. „Jeder Tag ist anders." Der Beruf hat ihre Persönlichkeit geprägt. „Ich bin viel offener und selbstbewusster geworden. Es fällt mir nicht mehr schwer, auf fremde Menschen zuzugehen." Die junge Frau hat sich vorgenommen, noch in möglichst vielen Hotels Berufserfahrung zu sammeln.

E Sie will auch nicht immer Empfangskassiererin bleiben, steuert aber kein bestimmtes Ziel an. „Falls ich mal ein tolles Angebot bekomme, kann ich mir einen Aufstieg zur Hotelmanagerin durchaus vorstellen. Doch ich mache keine großen Pläne, denn trotz der Arbeit sollte das Leben nicht zu kurz kommen!"

1 So wird Anja mit Fragen nach Museen oder guten Restaurants geradezu bombardiert.

2 In diesem großen Hamburger Luxushotel gibt es täglich bis zu 200 An- und Abreisen.

3 Das möchte sie vor allem im Ausland machen.

4 Gäste, die ein- und auschecken wollen oder irgendwelche Fragen haben.

5 „Einmal habe ich einem Gast einen Raum zugeteilt, der noch nicht gereinigt war. Peinlich!"

6

2   Textgrammatik

Markieren Sie die Wörter, die Ihnen geholfen haben, die richtige Stelle
für die Sätze 1 bis 5 zu finden.

Satz 1	
Satz 2	
Satz 3	
Satz 4	*eine Schlange vor dem Tresen* + Doppelpunkt bedeutet, es müssen Beispiele folgen – *Gäste, die ...*
Satz 5	

3   Hauptinformationen entnehmen

Was erfahren wir über Anja Noack? Notieren Sie Stichworte.

Alter	20 Jahre
Heimatstadt	
Stadt, in der sie jetzt arbeitet	
Ausbildung	
normale Aufgaben	
einer Empfangskassiererin	
außergewöhnliche Aufgaben	
Charakter	
Zukunftspläne	

4   Worterklärung

Erschließen Sie folgende Ausdrücke aus dem Kontext oder aus
Bestandteilen des Wortes. Beispiel: *ein- und auschecken* von englisch
to check in/out = die Formalitäten bei der An- und Abreise erledigen

*bildet sich eine Schlange – sich den Stress nicht anmerken lassen –
Hotelfachfrau – Anlaufstelle – kein bestimmtes Ziel ansteuern*

GR 5   Ergänzen Sie aus dem Text folgende Konditionalsätze.   GR S. 97/98

wenn/falls	bei/im Falle
Wenn der Gast nicht zufrieden war, wird an der Rezeption gemeckert.	*Aber auch bei sehr viel Arbeit* darf man sich den Stress nicht anmerken lassen.
kann ich mir einen Aufstieg zur Hotelmanagerin durchaus vorstellen.	kümmert er sich um Tischreservierungen oder Kartenvorbestellungen.

GR 6   Ergänzen Sie den Satzbauplan.

Bilden Sie Nebensätze mit *wenn* oder *falls* bzw. Satzglieder
mit *bei* oder *im Falle*.

Position 1	Verb	Position 3, 4 ...	Endposition
Aber auch bei sehr viel Arbeit *Aber auch wenn man sehr viel Arbeit hat,*	darf	*man sich den Stress nicht*	*anmerken lassen.*
Wenn der Gast nicht zufrieden war,	wird	*an der Rezeption*	*gemeckert.*
	kümmert	*er sich um Tischreservierungen.*	
	kann	*ich mir einen Aufstieg zur Hotelmanagerin durchaus*	*vorstellen.*

_1_ Worüber sollte ein Berufsporträt Ihrer Meinung nach
Auskunft geben?

Sammeln Sie Stichpunkte und bringen Sie sie in
eine sinnvolle Reihenfolge.

- *Ausbildung*
- *Arbeitsplatz*
- *Arbeitszeit*
- *Zufriedenheit*
- *...*

_2_ Bereiten Sie ein Interview mit einer/einem Berufstätigen aus
einem deutschsprachigen Land vor.

ⓐ Wählen Sie jemanden aus Ihrem Bekanntenkreis,
Ihrem Sprachinstitut, Ihrer Schule bzw. Universität.
An einem deutschsprachigen Kursort können Sie das
Interview auch auf der Straße mit Unbekannten
durchführen.

ⓑ Formulieren Sie zu jedem Stichpunkt
(vgl. Aufgabe 1) eine Frage.

- *Könnten Sie mir/uns bitte etwas zu*
  Ihrer Ausbildung erzählen?
- *Welcher Schulabschluss war Voraussetzung für ... ?*
- *Wie lange dauerte die Ausbildung?*
- *...*

ⓒ Überlegen Sie auch, wie man jemanden höflich darum bitten kann,
diese Fragen zu beantworten. Stellen Sie sich selbst vor, erklären Sie,
warum Sie das Interview machen wollen, und bitten Sie die ausge-
wählte Person um Mithilfe.

- *Entschuldigen Sie, dürften wir Sie mal für ein paar Minuten stören?*
- *Wir besuchen gerade einen Deutschkurs und suchen jemanden,*
  den wir zum Thema Beruf befragen können.
- *Würde es Ihnen etwas ausmachen, wenn wir Ihnen ein paar Fragen*
  stellen?
- *...*

ⓓ Bedanken Sie sich am Ende des Interviews.

- *Vielen Dank für Ihre freundlichen Auskünfte!*
- *Das war sehr interessant für uns. Wir möchten Ihnen*
  ganz herzlich danken.
- *...*

_3_ Tragen Sie Ihre Ergebnisse in der Klasse vor.   AB

HÖREN 2

__1__   Service – Dienstleistungsbetrieb

Welche Arbeitsplätze und Berufe fallen Ihnen dazu ein?

Service-
Berufe

__2__   Sie hören jetzt einen Ausschnitt aus einer Radiosendung.

Sie hören den Text in Abschnitten. Lesen Sie die Fragen zum jeweiligen Textabschnitt vor dem Hören und beantworten Sie sie während des Hörens.

Abschnitt 1 **a** In was für einem Betrieb arbeitet Felix Krull, der Romanheld von Thomas Mann?

b Welches Problem ist bei der Arbeit in solchen Betrieben immer noch aktuell?

Abschnitt 2 **c** Welchen Beruf haben die Personen, die zu Wort kommen?

Ergänzen Sie die Berufe während des Hörens.

Name	Beruf
Norbert Huemer	*Kellner*
Elke Wieland	
Erich Koeberl	
Michael Specking	
Hans Resch	

Abschnitt 3 **d** Was gefällt Erich Koeberl an seinem Beruf?

e Warum arbeiten in seinem Beruf mehr Männer als Frauen?

f Was ist die Maxime für alle Hotelberufe?

Abschnitt 4 **g** Welcher Raum ist für den Gast besonders wichtig?

h Für welche der folgenden Probleme muss die Empfangsdame Frau Schneider-König eine Lösung finden?

☐ Der Gast kann nicht bezahlen.
☐ Das Hotel liegt verkehrsungünstig.
☐ Im Zimmer hört man den Verkehrslärm.
☐ Die Einrichtung gefällt dem Gast nicht.
☐ Es fehlt eine Parkmöglichkeit.
☐ Das Frühstück ist nicht zufrieden stellend.

__3__   Könnten Sie sich vorstellen, in einem Hotel zu arbeiten?

Warum? Warum nicht?

AB

WORTSCHATZ – *Arbeit und Beruf*

1   Welche Berufe üben die abgebildeten Personen aus?

Woran haben Sie das erkannt?

2   Wer übt diese Tätigkeiten aus?

ⓐ
- vor Gericht gehen
- Mandanten verteidigen
- jemanden in Gesetzesfragen beraten

ⓒ
- Einschreiben überbringen
- Briefe zustellen
- Post sortieren

ⓔ
- auf Fahrgäste warten
- Koffer einladen
- den Fahrpreis kassieren

ⓑ
- Briefe nach Diktat schreiben
- Termine absprechen
- Telefonate entgegennehmen

ⓓ
- Geräte anschließen
- Stromleitungen verlegen
- Leitungsdefekte reparieren

ⓕ
- Studenten betreuen
- Vorlesungen halten
- in einem Fachgebiet forschen

3   Erstellen Sie selbst eine Aufgabe für die anderen Kursteilnehmer.

Nennen Sie drei Tätigkeiten und lassen Sie den Beruf erraten.

`AB`

6

4   Was passt zusammen?

Lehrling
Vorgesetzter
Abteilungsleiter
~~Sekretärin~~

Ausbilder
Selbstständiger
Arbeitnehmer

Arbeitgeber (..........)

Meister (..........)

Chef (*sekretärin*)

Sachbearbeiter (..........)

Mitarbeiter (..........)

Auszubildender (..........)

Angestellter (..........)

`AB`

5   Welches Verb passt?

sich auf ein Fachgebiet	bewerben
einen Arbeitsplatz	verdienen
sich um eine Stelle	sammeln
eine Gehaltserhöhung	formulieren
einen Beruf	einsetzen
seinen Lebensunterhalt	ausüben
sich für seine Firma	unterschreiben
Berufserfahrung	finden
ein Bewerbungsschreiben	vorstellen
sich persönlich	fordern
eine Beförderung	anstreben
einen Arbeitsvertrag	spezialisieren

`AB`

1   Welche Kleidungsstücke tragen Sie persönlich bzw.
was trägt man Ihrer Meinung nach bei den unten aufgelisteten
Gelegenheiten?

Gelegenheit	Kleidungsstück
beim Abendessen im Restaurant	ausgewaschenes Sweatshirt
beim Sport im Freien	Anzug und Krawatte
im Büro	Dirndl oder Trachtenanzug
beim Kochen	luftige Windjacke
auf dem Silvesterball	fleckige Jeans und zerrissenes T-Shirt
in der Diskothek	Zweireiher oder Dinnerkleid
bei der Gartenarbeit	Sandalen
beim Stadtbummel	Lackschuhe und Maßarbeit von Pariser Schneidern
in der Freizeit	Baseball-Käppi, Kapuzenjacke, Shorts und Turnschuhe
am Strand	piekfeiner Nadelstreifenanzug, Krawatte
	grob kariertes Holzfällerhemd

Im Büro trägt man häufig ...
Am Strand bin ich am liebsten in ...
Wenn man bei uns in die Diskothek geht, trägt man ...
Für den Stadtbummel ziehe ich ... an.

2   Überlegen Sie: Was tragen besonders kreative Menschen?

Was tragen „langweilige Typen"?

3   Sehen Sie sich den Text auf der folgenden Seite an.

Was erwarten Sie vom Inhalt? Was verrät der Untertitel?

Das englische Wort *outfit* wird von jungen Leuten häufiger gebraucht
als das deutsche Wort *Kleidung*.

Faulenzerkleidung macht fleißig

Vom Zusammenhang zwischen Outfit und Kreativität

Wir Journalisten haben es relativ leicht in Kleidungsfragen. Meistens würden wir auch dann noch nett begrüßt werden, wenn wir direkt vom selbst gemachten Ölwechsel in fleckigen Jeans und zerrissenem T-Shirt zu einem Termin kämen. Denn der Gastgeber will ja, dass wir nett über ihn schreiben, und deshalb lächelt er höchstens etwas gequält, falls wir unpassend gekleidet bei der Veranstaltung auftauchen, weil wir auf der Einladungskarte leider den Vermerk „Dirndl, Trachtenanzug oder dunkler Anzug" übersehen haben.

Andere Berufsgruppen tun sich da schon schwerer. Wer nach dem Abitur eine Banklehre beginnt, muss in Anzug und Krawatte schlüpfen und wird von einem Tag auf den anderen von seinen ehemaligen Klassenkameraden nicht mehr wieder erkannt, wenn er sie zufällig bei der morgendlichen S-Bahn-Fahrt zur Arbeit trifft. Da sollte er es schleunigst schaffen, im Kollegenkreis neue Bekanntschaften zu schließen; sonst wird er schon bald hilflos und verlassen umherirren. Und so jemand soll gut gelaunt und effektiv seine Arbeit verrichten?!

So kann jenes Untersuchungsergebnis nicht weiter verwundern, das kürzlich die „Financial Times" veröffentlicht hat: Je legerer die Kleidung, desto größer die Leistung im Beruf. Das haben britische Wissenschaftler jetzt herausgefunden.

Wir, die wir fast alles schon immer gewusst haben, können das nur bestätigen an Hand einiger Beispiele aus unserem alltäglichen Arbeitsumfeld. Kollege F. zum Beispiel schreibt ganz besonders schnell und ganz besonders viel, wenn er sein ausgewaschenes Segel-Sweatshirt anhat. Und Kollegin T. vom Konkurrenzblatt ist immer die Schnellste in der Setzerei, wenn sie ihre luftige Windjacke trägt, die in Fachkreisen auch als „Einmannzelt" oder „form-schöner Kartoffelsack" bekannt ist. Dagegen haben andere, die wir immer nur in piekfeinen Nadelstreifenanzügen mit teuersten Krawatten antreffen, schon seit Jahren keine Zeile mehr geschrieben. Na, muss man noch mehr sagen?

Ganz klar, Personalchefs, wo die Richtung langgeht: Erscheint ein Bewerber im Zweireiher oder im Dinnerkleid zum Vorstellungsgespräch, dann könnt ihr ihn gleich vergessen. Sicher ein Faulenzer, der einen ruhigen Job sucht. Baseball-Käppi, Kapuzenjacke, Shorts und Turnschuhe hingegen verraten das spontane Arbeitstier, das sich aufopfern wird für das Unternehmen.

Sandalen statt Lackschuhe, grob karierte Holzfällerhemden statt langweiliger Maßarbeit von Pariser Schneidern! Sollte jemand heute noch glauben, schicke Kleidung sei ein Garant für den geschäftlichen Erfolg, so wird er sich schon bald Sorgen um seinen Arbeitsplatz machen müssen.

---

4   Um was für eine Textsorte handelt es sich?

☐ um eine Empfehlung für die passende Kleidung am Arbeitsplatz
☐ um einen Bericht zu den neuesten Forschungsergebnissen zur Effektivität am Arbeitsplatz
☐ um einen ironischen Kommentar zum Thema Kleidungsfragen am Arbeitsplatz

5   Einen Zeitungsartikel in diesem Stil nennt man Glosse.

Welche der folgenden Definitionen ist passend?

Eine Glosse ist

☐ eine sachliche Darstellung oder Wiedergabe von Tatsachen.
☐ ein Kommentar in Tageszeitungen mit oft ironischer Stellungnahme.
☐ eine wissenschaftliche oder künstlerische Beurteilung.

_6_ Ironie wird häufig durch Übertreibungen ausgedrückt.

Ein Beispiel aus dem Text: *Wer nach dem Abitur eine Banklehre beginnt, muss in Anzug und Krawatte schlüpfen und wird von einem Tag auf den anderen von seinen ehemaligen Klassenkameraden nicht mehr wieder erkannt, wenn er sie zufällig bei der morgendlichen S-Bahn-Fahrt zur Arbeit trifft.*
Suchen Sie weitere Übertreibungen im Text und geben Sie jeweils die Zeilen an.

GR _7_ Konditionalsätze

GR S.97, 2/98

Unterstreichen Sie Konditionalsätze im Text, die mit *wenn – falls – sonst – je ... desto* gebildet sind, und solche, in denen das Verb auf Position 1 steht bzw. die mit *sollte* eingeleitet sind.
Ergänzen Sie folgende Übersicht.

Konnektor oder Satzanfang	Beispiel
wenn	*Meistens würden wir auch dann noch nett begrüßt werden, wenn wir ... zu einem Termin kämen.*
falls	
sonst	
je ... desto	
Verb/sollte auf Position 1	

GR _8_ Nennen Sie die Bedingungen und die Folgen in den Sätzen aus Aufgabe 7.

Bedingung	Folge
Wir kommen direkt vom selbst gemachten Ölwechsel in fleckigen Jeans ... zu einem Termin.	*Wir würden auch dann noch nett begrüßt werden.*

GR _9_ Ergänzen Sie die folgenden Erläuterungen zu Bedingungs- bzw. Konditionalsätzen.

ⓐ Konditionalsätze werden mit Konnektoren wie zum Beispiel .... gebildet.

ⓑ Man kann aber auch den Konnektor weglassen; dann muss das Verb auf Position .... stehen. Der Hauptsatz wird dann meist mit *dann* oder *so* eingeleitet.

ⓒ Einem Satz mit *falls* entspricht ein Satz, der mit .... beginnt. Das Verb steht am Ende des Nebensatzes.

ⓓ Vergleicht man zwei Komparative miteinander, so benutzt man ....

ⓔ Einen negativen Bedingungssatz kann man entweder mit *wenn ... nicht* formulieren oder den Folgesatz mit .... beginnen.

AB

1 Satzgliedstellung nach Konnektoren

Konnektoren verbinden Sätze oder Satzteile miteinander. Es gibt drei
Typen von Konnektoren, die unterschiedliche Regeln für die
Satzgliedstellung bedingen.

		Konnektor		
ⓐ	Hauptsatz *Viele Bewerber* *bekommen keine Stelle,*	*denn*	Hauptsatz *sie haben zu geringe Kenntnisse.*	ändert die Wort- stellung nicht
ⓑ	Hauptsatz *Viele Bewerber haben zu* *geringe Kenntnisse,*	*deshalb*	Hauptsatz *bekommen sie keine Stelle.*	kann auf Position 1 oder im Mittelfeld stehen
ⓒ	Hauptsatz *Viele Bewerber* *bekommen keine Stelle,*	*weil*	Nebensatz* *sie zu geringe Kenntnisse haben.*	stellt das Verb ans Ende

*Konnektor und Nebensatz können auch vor dem Hauptsatz stehen.

Beispiel: *Weil sie zu geringe Kenntnisse haben,*
bekommen viele Bewerber keine Stelle.

2 Inhaltliche Funktion von Konnektoren

Konnektoren können unterschiedliche
inhaltliche Beziehungen herstellen.
In dieser Lektion werden kausale, konsekutive
und konditionale Konnektoren behandelt.
Weitere Konnektoren siehe Lektion 8 und 9.

ⓐ Kausale Beziehung: warum?
                   Martina Esser kündigt.
Grund   *Sie hat keine Gehaltserhöhung bekommen.*

Martina Esser kündigt, denn sie hat keine Gehaltserhöhung bekommen.
Martina Esser hat keine Gehaltserhöhung bekommen, deshalb kündigt sie.
Martina Esser kündigt, weil/da sie keine Gehaltserhöhung bekommen hat.
Martina Esser kündigt. Sie hat nämlich keine Gehaltserhöhung bekommen.

ⓑ Konsekutive Beziehung: mit welcher Folge?
                   Martina Esser hat keine Gehaltserhöhung
                   bekommen.
Folge   *Sie kündigt.*

Martina Esser hat keine Gehaltserhöhung bekommen, folglich kündigt sie.
Martina Esser hat keine Gehaltserhöhung bekommen, so dass sie kündigt.
Martina Esser hat so wenig verdient, dass sie kündigt.

ⓒ Konditionale Beziehung: unter welcher Bedingung?
                   Martina Esser kündigt.
Bedingung   *Sie bekommt keine Gehaltserhöhung.*

Wenn Martina Esser keine Gehaltserhöhung bekommt, kündigt sie.
Martina Esser verlangt eine Gehaltserhöhung, sonst kündigt sie.
Im Falle, dass Martina Esser keine Gehaltserhöhung bekommt, kündigt sie.

<u>3</u> Variation: Konnektor oder Präposition   ÜG S.168, 174, 170

Inhaltliche Beziehungen zwischen Sätzen oder Satzteilen können mit
Hilfe unterschiedlicher Strukturen ausgedrückt werden:

- durch Konnektoren: *Ich habe keine Zeit. Deshalb komme ich nicht.*
                     Ich komme nicht, weil ich keine Zeit habe.
- durch Präpositionen: *Aufgrund Zeitmangels war X verhindert.*

Die unterschiedlichen Strukturen drücken feine stilistische Unterschiede
aus. Die nominale Ausdrucksweise mit Präpositionen ist zum Beispiel
typisch für die Schriftsprache.

Bedeutung	Konnektor	Präposition
kausal	*Weil Hermann Hecht Berufserfahrung hat, bekommt er die Stelle.*	*Wegen (Aufgrund) seiner Berufserfahrung bekommt er die Stelle.*
konsekutiv	*Frau Zimmer war so erkältet, dass sie nicht zur Arbeit gehen konnte.*	*Infolge ihrer Erkältung konnte sie nicht zur Arbeit gehen.*
konditional	*Wenn der Gast nicht zufrieden war, wird an der Rezeption gemeckert.*	*Bei Unzufriedenheit des Gastes wird an der Rezeption gemeckert.*
	Falls Sabine länger abwesend ist, muss jemand ihre Arbeit übernehmen.	*Im Falle (Bei) einer längeren Abwesenheit muss jemand Sabines Arbeit übernehmen.*
	Wenn man keine Berufsausbildung hat, kann man nur schwer eine Arbeit finden.	*Ohne Berufsausbildung kann man nur schwer eine Arbeit finden.*

<u>4</u> Konnektoren und Präpositionen auf einen Blick   ÜG S. 212

Bedeutung	Konnektor + Nebensatz stellt das Verb ans Ende	Konnektor + Hauptsatz kann auf Position 1 oder im Mittelfeld stehen	ändert die Wortstellung nicht	Präposition
kausal	da weil	daher darum deshalb deswegen aus diesem Grund	denn nämlich*	wegen + Gen. aufgrund + Gen. infolge + Gen.
konsekutiv	so ... dass so dass zu ... , als dass (+ Konj. II)	also folglich infolgedessen		
konditional	wenn wenn nicht falls im Falle, dass je ... desto (+ Komparativ)	sonst		bei + Dat. ohne + Akk.

*Beachten Sie die Wortstellung: *nämlich* nach dem Verb.
Beispiel: *Er hat nämlich keine Stelle.*

ZUKUNFT

__1__ Sehen Sie sich das Bild eine Minute lang an.
Schlagen Sie dann das Buch zu. Beschreiben Sie,
was zu sehen war.

__2__ Was hat das Bild Ihrer Meinung nach mit dem
Thema *Zukunft* zu tun?

> *Vielleicht gibt es in Zukunft ...*
> *Der Künstler will damit wohl sagen, dass ...*
> *Die beiden Figuren symbolisieren ...*

1 Welche Idee eines Erfinders ist hier wohl dargestellt?

Wozu könnte sie dienen?

2 Überfliegen Sie die Texte 1 bis 4.

a Welche Prophezeiung hat welche Überschrift?

b Welche Stellungnahme aus heutiger Sicht (A bis D) passt dazu?

7

Überschrift	Der Mensch wird immer älter – letztlich ist er unsterblich	Fliegen statt fahren – mit Propellern auf dem Rücken in die Luft	Affen als Erntearbeiter einsetzen	Mit einer riesigen Glaskuppel eine Großstadt vor Kälte schützen
Prophezeiung	4			
heutige Sicht		A		

Erinnerungen an die Zukunft

Was wurde uns nicht alles prophezeit! Und zwar nicht von Sciencefiction-Autoren, sondern von seriösen Wissenschaftlern. Wo bleibt denn nun das Zeug?

Die Prophezeiungen:

Dies war der Wunsch einiger renommierter Wissenschaftler.

Wieso eigentlich sollen Tiere immer nur auf der faulen Haut liegen? Der Nobelpreisträger G. Thomson meinte 1955: „Die Hand des Affen stellt ein wertvolles Werkzeug dar. Denken wir an die Masse von Elektronik, die erforderlich wäre, um mit der Maschine eine Orange vom Baum zu pflücken – der trainierte Affe könnte es für eine tägliche Ration Nüsse." Möglicherweise müsste man vorher in das Erbgut der Tiere eingreifen.

Davon träumte der amerikanische Architekt R. Fuller,

der ebenso simple wie utopische Großprojekte plante. Anfang der sechziger Jahre erregte er Aufsehen mit dem Vorschlag, eine Käseglocke über Manhattan zu stülpen. Die im Durchmesser drei Kilometer große Halbkugel mit transparenter Außenhaut sollte Unwetter, Schneemassen und Luftverschmutzung abhalten.

Daran glaubte der Ingenieur C.H. Zimmermann.

Ein senkrecht startendes, leichtes Fluggerät würde Menschen stehenden Fußes in die Luft heben und alle Transportprobleme lösen. 1951 unternahm man die ersten Versuche mit „Hubstrahlern" und „Fliegenden Kuchenblechen", 1954 experimentierten französische Techniker mit Rückenrotoren.

Das sah der Zukunftsautor A. Clarke voraus.

Nicht alle Wissenschaftler gingen so weit. Weitgehend einig waren sich die Mediziner jedoch vor einigen Jahrzehnten darüber, dass Krebs und Herzinfarkt bis 1990 besiegt wären und die Lebensdauer bis zum Jahre 2050 um 50 Jahre ansteigen würde. „Amputierte Arme und Beine werden wieder nachwachsen, denn der Mensch wird die Baupläne organisierter Zellen in der Injektionsspritze zur Hand haben", erläuterte die Zeitschrift „Der Spiegel" in einer Vorausschau im Dezember 1966. Die „Kommission 2000" erklärte: Es gibt keinen Grund für die Annahme, dass der Lebensdauer eines Menschen durch unabänderliche Faktoren Grenzen gesetzt sind.

3 Welche dieser Prophezeiungen halten Sie für die realistischste?

Die heutige Sicht:

Woran ist das gescheitert, Herr Noltemeyer?
Wir haben früher gesagt, es fliegt sogar ein Garagentor, wenn das Triebwerk stark genug ist. Technisch wäre es möglich, ein solches Fluggerät zu bauen. Zusammen mit einem kleinen Motor könnte man das Gesamtgewicht auf 40 Kilo beschränken. Gesteuert werden müsste der Helikopter durch Gewichtsverlagerung. Eine mechanische Steuerung wäre zu teuer, zu kompliziert und zu schwer. Das wirkliche Problem aber sind die Luftfahrtgesetze: In den meisten Ländern dürfen Fluggeräte nur auf öffentlichen Flugplätzen starten und landen. Und das ist auch sinnvoll. Wenn jeder so ein Ding auf den Rücken schnallt und losfliegt – das wäre ja das totale Chaos. Man bräuchte Ampeln und Verkehrspolizisten da oben – ganz zu schweigen von dem schrecklichen Lärm und der Luftverpestung.
Werner Noltemeyer, 74, ist Hubschrauberpilot und Leiter des einzigen deutschen Hubschraubermuseums in Bückeberg.

Warum ist daraus nichts geworden, Herr Professor Otto?
Ein technisches Problem ist es im Grunde nicht. Das habe ich schon in meiner Dissertation von 1954 nachgewiesen. Ich habe für ein Projekt in der Antarktis durchgerechnet, dass wir eine zwei Kilometer große Konstruktion problemlos bauen könnten. Die Schwierigkeiten sind ökologischer Art. Ob sich unter einer Kuppel bessere Luft erzeugen ließe, als wir sie heute in den Städten haben, ist fraglich. Und wenn, dann nur unter großem Energieaufwand. Darum halte ich es ökologisch nicht für sinnvoll, Großstädte einzukapseln.
Der Architekt Prof. Dr. Frei Otto gilt als einer der führenden Erforscher von pneumatischen Konstruktionen.

Was war das Problem dabei, Herr Dr. Kaumanns?
Diese Tiere sind in der Tat zu erstaunlichen Leistungen fähig. Sie wurden erfolgreich in der Raumfahrt eingesetzt, bedienen behinderte Menschen oder pflücken Kokosnüsse. Genau wie die Menschen lassen sie sich aber nur schlecht zu langweiligen Tätigkeiten motivieren. Die würden sie nicht auf Dauer zuverlässig ausführen. Außerdem ist das Training von solchen Primaten extrem zeitaufwendig und teuer. Es gerät auch schnell mit einem – inzwischen gewandelten – Bewusstsein für den Tier- und Artenschutz in Konflikt. Viele Arten sind vom Aussterben bedroht. Abgesehen davon sind stupide Tätigkeiten von computergesteuerten Maschinen billiger, zuverlässiger und schneller auszuführen.
Dr. Werner Kaumanns ist Mitarbeiter des Deutschen Primatenzentrums in Göttingen.

Worin lag der Irrtum, Herr Professor Schütz?
Früher haben viele Mediziner ihre Möglichkeiten überschätzt: Es gab ständig neue Entwicklungen bei Antibiotika und Hormonen, die Genforschung fing damals an. Einige glaubten, sie hätten den Stein der Weisen gefunden. Natürlich können wir heute viele Krankheiten mit mehr Erfolg bekämpfen und damit auch die Lebenserwartung steigern. In meiner Zeit als junger Arzt war eine Lungenentzündung bei alten Menschen eine lebensbedrohliche Krankheit. Das ist heute meist nicht mehr der Fall. Doch trotz aller Fortschritte ist die durchschnittliche Lebenserwartung in den letzten 100 bis 150 Jahren nur um etwa sieben Jahre gestiegen, von 71 auf 78. Das Alter ist keine Krankheit, die sich beseitigen lässt. Untersuchungen an Zellkulturen deuten darauf hin, dass die normale menschliche Lebensspanne etwa neun Jahrzehnte beträgt. Immer mehr Menschen werden dieses Alter erreichen. 120 Jahre ist die biologisch oberste Grenze. Auch die Gentherapie wird das Altern nicht stoppen.
Professor Dr. Rudolf Schütz ist Präsident der Gesellschaft für Gentechnologie und Geriatrie.

7

____4____ Die vier Utopien wurden aus unterschiedlichen Gründen nicht verwirklicht.
Ergänzen Sie.
a Theoretisch realisierbar: *das Fluggerät auf dem Rücken*
Gründe, warum das nicht verwirklicht wurde: ....
b Nur schwer realisierbar: ....
Gründe: ....
c Nicht realisierbar: ....
Gründe: ....

LESEN 1

GR S. 112/113

GR **5**   Etwas Irreales ausdrücken

ⓐ Welche sprachliche Form drückt in den Texten aus, dass es sich um Ideen
handelt, die nicht verwirklicht worden sind?

⬚ indirekte Rede   ⬚ Konjunktiv I
⬚ Futur   ⬚ Indikativ
⬚ Konjunktiv II   ⬚ Imperativ

ⓑ Unterstreichen Sie im Text alle Formen, die etwas Irreales ausdrücken.
Ordnen Sie die Formen zu.

Verben im Konjunktiv II	Umschreibung mit *würde*
wäre	*würde ... heben*

GR **6**   Utopien entwickeln sich meist aufgrund eines Wunsches.
Man will zum Beispiel:

■ bequemer leben   ■ sein Leben verlängern
■ Krankheiten bekämpfen   ■ nicht so schwer arbeiten
■ Naturkatastrophen verhindern ■ sich schneller bewegen

Überlegen Sie sich für jeden dieser Wünsche eine Erfindung. Formulieren
Sie Ihre irrealen Projekte im Konjunktiv II.
Beispiel: Wenn man Roboter hätte, würde man sich viel Arbeit sparen.

AB

GR **7**   Verweiswörter im Text

GR S. 114

ⓐ Mit welchem Wort beginnen die Prophezeiungen und wie
lautet das passende Verb dazu?

Verweiswort	Verb
Dies	*war*

ⓑ Was ist die gemeinsame Funktion dieser vier Verweiswörter?

⬚ Sie hängen alle von einem Verb mit Präposition ab.
⬚ Sie lassen sich alle durch das Pronomen *es* ersetzen.
⬚ Sie beziehen sich alle auf etwas, was im Satz davor steht.

ⓒ Wie lauten die Fragewörter in den Fragen an die Experten? Ergänzen
Sie die Verben und – wenn vorhanden – auch die Präpositionen.

Fragewort	Verb	Präposition
woran	*scheitern*	*an*

ⓓ Welche dieser Fragewörter bildet man nach der gleichen Regel?
Die Regel lautet: _____ + (r) + _____ .
Die Präposition hängt vom _____ ab.

GR **8**   Worauf bezieht sich jeweils das Pronomen *es* in den
folgenden Sätzen?

■ *Technisch wäre es möglich, ein solches Fluggerät zu bauen.*
■ *Darum halte ich es ökologisch nicht für sinnvoll, Großstädte
einzukapseln.*

AB

SPRECHEN 1

<u>1</u> Ratschläge zur Lebenshilfe

Setzen Sie sich in Gruppen zu dritt oder zu viert zusammen. Eine Person aus der Gruppe wählt eines der vier Situationskärtchen, auf denen jeweils ein Problem formuliert ist. Die anderen sollen Ratschläge erteilen.

Situation 1

Sie leben mit einem guten Freund in einer Wohngemeinschaft. Da ihr Freund eine <u>Schwäche</u> für exotische Tiere hat, plant er, sich bald eine Schlange als Haustier zuzulegen.

weakness

Situation 2

Ihre 90-jährige Großtante bietet Ihnen an, Sie als <u>Erbe</u> für ihr Haus einzuset- zen, wenn Sie bereit sind, sich dreimal pro Woche abends um sie zu kümmern. Außerdem sollten Sie jedes zweite Wochenende für sie Zeit haben.

heir
appoint

Situation 3

Ihr Chef bietet Ihnen eine leitende Position in einer <u>Zweigstelle</u> der Firma an. Diese befindet sich allerdings in einer anderen Stadt. Sie würden besser verdienen, hätten natürlich auch größere Verantwortung und mehr Arbeit.

branch

Situation 4

Ihre Partnerin/Ihr Partner will im nächsten Urlaub <u>unbedingt</u> eine ganz besondere Reise machen. Sie/er hat vor, die Insel Madagaskar mit dem Fahrrad zu <u>erkunden</u> und möchte, dass Sie mitkommen.

absolutely
explore

7

<u>2</u> Ratsuchende und Ratgebende - Gesprächsvorbereitung

Die Ratsuchenden überlegen, worin bei der gewählten Situation für sie genau das Problem liegt – zum Beispiel Angst vor Schlangen und Ähnliches. Die Ratgebenden über- legen, welche Ratschläge sie geben könnten. Für das nun folgende Gespräch verwenden Sie bitte einige der aufgeführten Redemittel.

Ratsuchende

Ich habe folgendes Problem: Mein ... plant/schlägt vor/will unbedingt ...
Aber für mich ist das .../Ich finde das ...
Außerdem soll ich ...
Was soll ich denn bloß ...?
Ich weiß überhaupt nicht, ...
Was würdest du in meiner Situation tun?

Ratgebende

An deiner Stelle würde ich ...
Wäre es wirklich so schlimm, ... zu ...?
Wie wäre es, wenn du zunächst einmal versuchst ...?
Vielleicht könntest du auch ...

<u>3</u> Präsentieren Sie einige gelungene Gespräche im Kurs.

HÖREN

<u>1</u> Eine Geschichte

Wählen Sie unter folgenden Begriffen einige aus und erfinden Sie jeweils zu dritt eine Geschichte dazu. Sie haben zehn Minuten Zeit.

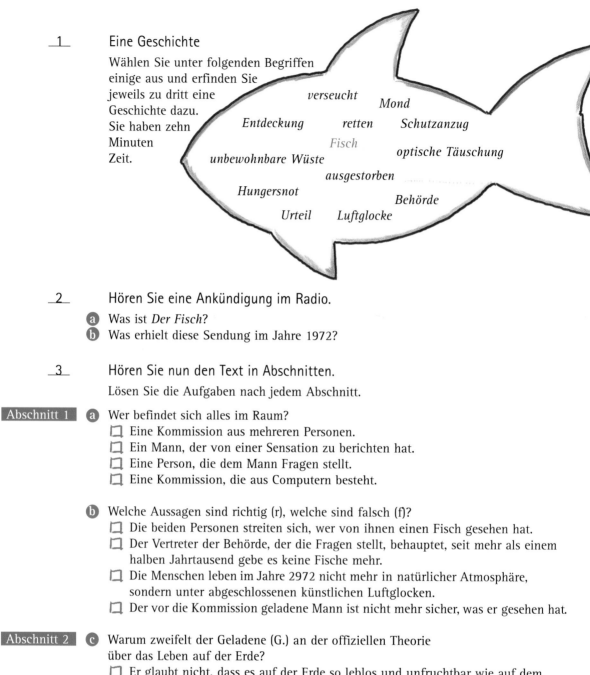

verseucht *Mond*

Entdeckung *retten* *Schutzanzug*

Fisch

unbewohnbare Wüste *optische Täuschung*

ausgestorben

Hungersnot

Behörde

Urteil *Luftglocke*

<u>2</u> Hören Sie eine Ankündigung im Radio.

a Was ist *Der Fisch*?
b Was erhielt diese Sendung im Jahre 1972?

<u>3</u> Hören Sie nun den Text in Abschnitten.

Lösen Sie die Aufgaben nach jedem Abschnitt.

Abschnitt 1 **a** Wer befindet sich alles im Raum?
- ☐ Eine Kommission aus mehreren Personen.
- ☐ Ein Mann, der von einer Sensation zu berichten hat.
- ☐ Eine Person, die dem Mann Fragen stellt.
- ☐ Eine Kommission, die aus Computern besteht.

b Welche Aussagen sind richtig (r), welche sind falsch (f)?
- ☐ Die beiden Personen streiten sich, wer von ihnen einen Fisch gesehen hat.
- ☐ Der Vertreter der Behörde, der die Fragen stellt, behauptet, seit mehr als einem halben Jahrtausend gebe es keine Fische mehr.
- ☐ Die Menschen leben im Jahre 2972 nicht mehr in natürlicher Atmosphäre, sondern unter abgeschlossenen künstlichen Luftglocken.
- ☐ Der vor die Kommission geladene Mann ist nicht mehr sicher, was er gesehen hat.

Abschnitt 2 **c** Warum zweifelt der Geladene (G.) an der offiziellen Theorie über das Leben auf der Erde?
- ☐ Er glaubt nicht, dass es auf der Erde so leblos und unfruchtbar wie auf dem Mond sein muss.
- ☐ Er meint, die Menschheit braucht noch mehr technische Hilfsmittel, um zu überleben.

d Wofür brauchen die Menschen eine Schutzgarnitur, Schutzhelme und Sauerstoffbehälter?

e Der Vertreter der Behörde (V.) sagt zu G.: „Der Fisch könnte auch eine optische Täuschung gewesen sein. Sie sollten sich das noch mal überlegen." Was will er damit wohl sagen?
- ☐ Er will ihn vor einer Enttäuschung bewahren.
- ☐ Er will ihm einen guten Rat geben.
- ☐ Er droht ihm indirekt.
- ☐ Er denkt, G. hat Halluzinationen.

HÖREN

hoffnungsvoll

Abschnitt 3 **f** Ordnen Sie die Adjektive den beiden
Personen zu (V. = Vertreter der Behörde,
G. = Geladener).

begeisterungsfähig

kalt   drohend

machtbewusst

nüchtern

erstaunt   schockiert

ahnungslos

ehrlich

autoritär   gefühllos

g Warum ist der Fisch für G.
eine *„ungeheure Hoffnung"*?

h V. ist von der Entdeckung
des Fisches gar nicht begeistert.
Was behauptet er über das Leben
der heutigen Menschen?

i Was glauben Sie? Warum soll der Fisch aus dem Gedächtnis von G.
gelöscht werden?

Abschnitt 4 **j** G. sagt: *„Ich Idiot! Allmählich beginne ich zu begreifen."*
Was meint er damit?

☐ Er hat endlich verstanden, dass seine Entdeckung für die Behörde
unbequem ist.

☐ Er ist froh. Er hat lange gebraucht, um zu verstehen,
dass die Fische am Strand künftig beobachtet werden und sein Fall
endlich erledigt wird.

k Was bedeutet wohl die „Revision des Urteils nach Kennziffer 15"?

Abschnitt 5 **l** Wie lautet das Urteil?

m Was passiert mit G.? Warum?

AB

---

4 Hören Sie das Hörspiel nun noch einmal ganz.

Welche der folgenden Aussagen ist Ihrer Meinung nach richtig?

Begründen Sie Ihre Meinung.

☐ Das Hörspiel hat mit der heutigen Realität nichts zu tun.

☐ Es spricht bereits bestehende Probleme an und verdeutlicht sie
durch eine Zukunftsvision.

☐ Ähnliche Lebensbedingungen wie im Hörspiel könnten
bald auf der Erde herrschen.

☐ Die Problematik ist veraltet, da das Hörspiel vor über 30 Jahren
geschrieben wurde.

5 Warum hat der Autor gerade das Jahr 2972 für die Handlung
gewählt?

GR S. 113, 2c

GR 6 Sätze mit *als ob*
Beispiel: Auf der Erde ist natürliches Leben wieder möglich.
*Aber der Vertreter der Behörde tut so, als ob natürliches Leben
auf der Erde nie wieder möglich wäre.*
Formulieren Sie die folgenden Aussagen nach diesem Muster.

a Der Geladene hatte den Fisch wirklich gesehen. *Aber V. tut so, als ob ...*

b Die Menschen brauchen die Vorschriften der Behörde in Wirklichkeit
nicht.

c Das Leben unter Glasglocken ist eintönig und unbefriedigend.

d Die Entdeckung des Fisches bedeutet eine große Gefahr für die Macht
der Behörde.

AB

SCHREIBEN

1   Radiokritik

Das Science-Fiction-Hörspiel *Der Fisch* wurde im Rundfunk gesendet.
Verfassen Sie dazu nun einen Kommentar für eine deutschsprachige
Schülerzeitung. Geben Sie zunächst ein paar allgemeine Informationen,
fassen Sie den Inhalt in einigen Sätzen zusammen und interpretieren
Sie, was mit dem Hörspiel ausgesagt werden soll. Machen Sie schließlich Ihre eigene Meinung deutlich. Verwenden Sie beim Schreiben
einige der folgenden Redemittel.

worüber ich etwas schreiben will	wie ich es ausdrücken kann
■ was für eine Sendung	*... ein Hörspiel aus dem Jahr ...*
	...ersten Preis in einem Hörspielwettbewerb ...
■ welche Handlung	*spielt im Jahr ..., also genau ...*
	Das Hörspiel besteht hauptsächlich aus einem Dialog zwischen ...
	Neben den beiden Personen spielen ... eine Rolle. Sie ...
	Es handelt von ... (davon, dass ...)
	Das Stück bietet ...
■ welche Aussage/Bedeutung	*Hier wird eine Zukunftsvision entworfen, das heißt ...*
	Der Fisch steht als Symbol für ...,
	Der Entdecker des Fisches ist eine ... Figur, da ...
	Der Vertreter der Behörde stellt ... dar.
	Die Computer symbolisieren ...
■ Bewertung	*Das Hörspiel ist meiner Meinung nach ...*
	... eine gelungene Vision ...
	... eine allzu übertriebene Darstellung ...
	...
	Die Handlung finde ich ...
	... nicht besonders einfallsreich.
	... spannend, weil man sich gut in die Rolle des Geladenen versetzen kann.

2   Korrigieren Sie Ihren Text nach dem Schreiben.

Kontrollieren Sie

a beim ersten Lesen, ob Sie alle vier Punkte angesprochen haben.
b beim zweiten Lesen alle Verben: Numerus, Tempus, Stellung im Satz.
c beim dritten Lesen alle Adjektive und Nomen.
d Überprüfen Sie auch,
   ■ ob die Handlung so dargestellt ist, dass ein Leser, der das Hörspiel
      nicht kennt, sie nachvollziehen kann.
   ■ ob Ihre Meinung über das Hörspiel deutlich wird.

AB

1 Noch rechtzeitig oder schon zu spät?

Wie beurteilen die Menschen in Ihrem Heimatland folgende
Situationen? Diskutieren Sie zuerst mit Ihrer Lernpartnerin/Ihrem
Lernpartner, danach in der Klasse.

a Die Unterrichtsstunde beginnt laut Stundenplan um neun Uhr.
Der Teilnehmer X trifft ungefähr drei Minuten später ein.

b Sie haben sich mit einem Freund/einer Freundin in einem Café für acht
Uhr verabredet. Er/Sie kommt um Viertel nach acht.

c Sie sind zu einem Vorstellungsgespräch in einer Firma um 14 Uhr eingeladen. Sie kommen um 14.05 Uhr.

d Sie kommen fünf Minuten nach dem offiziellen Beginn der Arbeitszeit
ins Büro.

e Sie sind zum ersten Mal zum Abendessen bei der Familie eines
Freundes oder Kollegen eingeladen. Sie haben sich für 20 Uhr verabredet und kommen etwa 25 Minuten später.

f Laut Fahrplan kommt der Zug um 16.30 Uhr. Er läuft um 16.34 Uhr im
Bahnhof ein.

2 Sie unterhalten sich mit Freunden darüber, wie oft Sie
ins Kino gehen.
Beispiel: *Ich gehe regelmäßig ins Kino.* Oder: *Ich gehe selten ins Kino.*

a Bringen Sie die Wörter in eine Reihenfolge zwischen *immer* und *nie*.
Verteilen Sie dazu Nummern von 8 bis 1.

b Welche Bedeutung haben diese Angaben für Sie?

Adverb	Reihenfolge	Bedeutung
immer	*8*	
selten		
häufig		
manchmal		
gelegentlich		
ständig		
regelmäßig		*z.B. einmal im Monat*
nie	*1*	

3 Welches Wort bzw. welcher Ausdruck passt nicht?

a demnächst – gestern – neulich – vor einer Woche – vor kurzem

b bald – damals – morgen – nächste Woche – zukünftig

c gerade – heute – im Augenblick – jetzt – kürzlich

d halbjährlich – monatlich – pünktlich – stündlich – täglich

`AB`

4 In welcher Situation sagt man das?

Ordnen Sie die Ausdrücke den zwei grundsätzlich verschiedenen
Vorstellungen vom Umgang mit Zeit zu.

`AB`

Ausdruck	Situation/Erklärung	Lebensweise	
		schnell	langsam
Es ist höchste Zeit.	*Man ist schon spät dran.*	*x*	
Kommt Zeit, kommt Rat.			
Lass dir ruhig Zeit!			
Dem Glücklichen schlägt keine Stunde!			
Zeit ist Geld.			
Das ist ja reine Zeitverschwendung!			

LESEN 2

Herbert Rosendorfer:
Briefe
in die chinesische
Vergangenheit
Roman
dtv

__1__ Sehen Sie sich das Titelbild an.

Wovon könnte der Roman handeln?

__2__ Für welchen Kulturkreis ist der Roman geschrieben?

Lesen Sie dazu den so genannten Klappentext, d.h. die Zusammenfassung auf dem Umschlag des Buches.

Ein Mandarin aus dem China des 10. Jahrhunderts versetzt sich mit Hilfe eines Zeitkompasses in die heutige Zeit. Er überspringt nicht nur tausend Jahre, sondern landet auch in einem völlig anderen Kulturkreis: in einer modernen Großstadt, deren Name in seinen Ohren wie Min-chen klingt und die in Bayan liegt. Verwirrt und wissbegierig stürzt sich Kao-tai in ein Abenteuer, von dem er nicht weiß, wie es ausgehen wird. In Briefen an seinen Freund im Reich der Mitte schildert er seine Erlebnisse und Eindrücke, erzählt vom seltsamen Leben der „Großnasen", von ihren kulturellen und technischen Leistungen und versucht, Beobachtungen und Vorgänge zu interpretieren, die ihm selbst zunächst unverständlich sind.

__3__ Warum wählt der Autor wohl diese „fremde Perspektive"?

__4__ Lesen Sie nun den *dritten Brief.*

Geliebter Freund Dji-gu

... Die Reise selber verlief ganz ohne Schwierigkeiten und war das Werk eines Augenblicks. Unsere vielen Experimente haben sich gelohnt. Nachdem ich Dich auf jener kleinen Brücke über den „Kanal der blauen Glocken" – die wir als den geeignetsten Punkt ausgesucht und errechnet hatten – umarmt und alles getan hatte, was notwendig war, war es mir, als höbe mich eine unsichtbare Kraft in die Höhe, wobei ich gleich-
5 zeitig wie von einem Wirbelwind gedreht wurde. Ich sah noch Dein rotes Gewand leuchten, dann wurde es Nacht. Einen Augenblick danach saß ich, natürlich etwas benommen, auf eben der Brücke; aber es war alles anders. Kein einziges Gebäude, keine Mauer, kein Stein von dem, was ich eben noch gesehen hatte, war noch vorhanden. Ungeheurer Lärm überfiel mich. Ich saß am Boden neben meiner Reisetasche, die ich krampfhaft festhielt. Ich sah Bäume. Es war – es ist – Sommer wie vor tausend Jahren. Eine fremde Sonne
10 schien über dieser Welt, die so sonderbar, so völlig unbegreiflich ist, daß ich zunächst gar nichts wahrnahm. Ich saß da, hielt meine Reisetasche fest, und wenn ich gekonnt hätte, wäre ich sofort wieder zurückgekehrt. Aber Du weißt, das geht nicht.
Die Brücke, auf der ich erwachte oder ankam, ist ganz anders als die Brücke, auf der ich Dich verließ. Sie ist nicht mehr aus Holz, sondern aus Stein, offensichtlich ziemlich lieblos zusammengefügt. Alles „hier" ist lieb-
15 los gemacht. Ich dachte: Zum Glück haben die nach tausend Jahren immer noch eine Brücke an derselben Stelle. Es hätte ja sein können, daß sie, nachdem die alte Holzkonstruktion verfault oder sonst zusammengebrochen war, den neuen Übergang etwas weiter oben oder unten errichtet hätten. Dann wäre ich ins Wasser gefallen, was natürlich unangenehm, aber nicht gefährlich gewesen wäre, denn der „Kanal der blauen Glocken" ist längst nicht mehr so tief, wie Du ihn kennst, allerdings äußerst schmutzig. So ziemlich alles
20 hier ist äußerst schmutzig. Schmutz und Lärm – das beherrscht das Leben hier. Schmutz und Lärm ist der Abgrund, in den unsere Zukunft mündet.
...
Ich richtete mich also auf, stellte meine Reisetasche ab und schaute mich um. ... Es näherte sich, erschrick nicht, ein Riese. Er war ganz in komische graue Kleider gehüllt, die völlig unnatürlich waren, hatte eine
25 enorm ungesunde bräunliche Gesichtsfarbe und als auffallendstes eine riesige, eine unvorstellbar große Nase; mir schien, seine Nase mache die Hälfte des Körpervolumens aus. Der große Fremde blickte aber, wie mir schien, nicht unfreundlich. Er wollte über die Brücke gehen, blieb jedoch stehen, als er mich sah.

__5__ Wie geht der Text weiter?

   a Was glauben Sie? Was wird der „Riese" wohl jetzt machen?

   b Vergleichen Sie Ihre Ideen mit der Fortsetzung des Textes.

Ich kann das Mienenspiel unserer Nachfahren noch nicht richtig deuten. (Sie sind uns so unähnlich, daß ich mich frage: Sind sie es wirklich? Wirklich unsere Nachfahren, unsere Enkel?) Ich lerne auch erst, ihre Ge-
30 sichter zu unterscheiden. Das ist sehr schwer, denn sie sehen alle gleich aus und haben alle gleich große Nasen. Daß jener Riese – oder jene Riesin, auch das Geschlecht ist kaum zu unterscheiden –, der erste Mensch, den ich nach meiner Reise von tausend Jahren sah, keine drohende Haltung einnahm, glaubte ich zu erkennen. Vermutlich war er so erstaunt, mich zu sehen, wie ich ihn. Ich ging auf ihn zu, verbeugte mich und fragte: „Hoher Fremdling, oder hohe Fremdlingin! ... Kannst du mir sagen, ob hier einst das Gartenhaus
35 meines Freundes, des erhabenen Mandarins Dji-gu, stand?"
Der Riese verstand aber offensichtlich nichts von meiner Rede. Er sagte etwas in einer mir völlig unver-
ständlichen Sprache, das heißt: er brüllte mit so tiefer Stimme, daß es mich fast über das Brückengeländer
warf, und ich hätte sofort die Flucht ergriffen, wenn sich nicht inzwischen eine größere Anzahl weiterer
Riesen angesammelt hätte, die mich alle anstarrten. Ich war ganz verzweifelt. Wenn ich gekonnt hätte, wäre
40 ich sofort wieder in die Vergangenheit – in Deine und meine Gegenwart – geflüchtet. Aber das geht ja
nicht. Ich muß ausharren. Es ist auch gut so, denn das ist der Zweck meiner Reise. So umklammerte ich
meine Reisetasche und fragte sie alle: „Ist nicht einer unter euch, der die Sprache der Menschen versteht?"
Es war keiner dabei.
... Der Zeitpunkt ist gekommen, um diesen Brief an den Kontaktpunkt zu legen. Ich schließe deshalb für
45 heute. Es umarmt seinen geliebten Dji-gu

                                      sein Freund Kao-tai

__6__ Beantworten Sie folgende Fragen in Stichpunkten
und geben Sie die Textstellen an.

Frage	Antwort	Textstellen (Zeilen)
a Wo beginnt die Reise, wo endet sie?	*auf einer Brücke an einem Fluss*	*Z. 2/3 und 6*
b Was sieht der Reisende bei seiner Ankunft?		
c Was berichtet er von der Brücke?		
d Wem begegnet er gleich nach der Ankunft?		
e Wie sieht die Person in den Augen des Erzählers aus?		
f Wie verläuft die Kontaktaufnahme?		
g Warum ist Kao-tai am Ende verzweifelt?		

__7__ Was könnte der „Riese" zu Kao-tai gesagt haben?
Formulieren Sie einige Fragen und Bemerkungen.

__8__ Verfassen Sie einen Antwortbrief an Kao-tai.
Dji-gu, der Freund des zeitreisenden chinesischen Mandarins, erhält
den Brief. Einerseits ist er erfreut über das gelungene Experiment,
andererseits aber besorgt um seinen geliebten Freund Kao-tai.

Geliebter Freund Kao-tai,
soeben habe ich deinen Brief an meinem Kontaktpunkt gefunden.
Bitte sei nicht verzweifelt. ...

In Gedanken begleitet seinen geliebten Kao-tai

                          sein Freund Dji-gu

GR 9 „Wortketten"

Ab Zeile 23 wird die Begegnung mit dem „Riesen" thematisiert.

GR S. 114, 3a,c

a Unterstreichen Sie im Text alle Nomen und Pronomen für diese Person und ergänzen Sie die „Wortkette": *ein Riese – er – der große Fremde –* ...

b Suchen Sie eine weitere „Wortkette" im zweiten Absatz (Zeile 13–21).

`AB`

GR 10 Unterstreichen Sie alle Verben im zweiten Absatz (Zeile 13–21) und im letzten Absatz (Zeile 36–45).

GR S. 112/113

Bestimmen Sie Modus und Zeit.

Verb	Modus	Zeit
erwachte	*Indikativ*	*Vergangenheit*
...		
errichtet hätten	*Konjunktiv*	*Vergangenheit*
...		

GR 11 Ergänzen Sie folgende Regel zum Konjunktiv II der Vergangenheit.

Der Konjunktiv II hat _____ verschiedene Zeitstufen: den Konjunktiv der Gegenwart und den Konjunktiv der _____. Man bildet den Konjunktiv der Vergangenheit aus der _____-Form der Verben *haben* oder _____ und dem Partizip II.

GR 12 Was drückt der Briefschreiber mit folgenden Sätzen jeweils aus?

Textstelle	Bedeutung
Wenn ich gekonnt hätte, wäre ich sofort wieder zurückgekehrt. (Zeile 11)	■ eine Möglichkeit
Es hätte ja sein können, daß sie (...) den neuen Übergang etwas weiter oben oder unten errichtet hätten. (Zeile 16/17)	■ eine Wahrscheinlichkeit ■ ein irrealer Wunsch
Dann wäre ich ins Wasser gefallen, was (...) nicht gefährlich gewesen wäre, (Zeile 17/18)	■ eine irreale Bedingung bzw. Folge

`AB`

GR 13 Wünsche

Der Mandarin Kao-tai wünscht sich in manchen Momenten, nicht in der Fremde zu sein. Er wünscht sich vielleicht:
Wenn ich nur wieder nach Hause zurückkehren könnte!
Wäre mein Freund bloß bei mir!

Formulieren Sie weitere irreale Wünsche des Briefschreibers.
Wenn ... doch (nur, doch nur, bloß) ... + Konjunktiv II
oder
Konjunktiv II ... *bloß (doch, nur, doch nur) ...*

`AB`

SPRECHEN 2

1 Spiel: Was hättest du gemacht, wenn ...

> **Gruppe A**
> im alten Rom (zur Welt kommen)
> als Kind jeden Wunsch (erfüllt bekommen)
> König im letzten Jahrhundert (sein)
> am 9. November 1989 die Maueröffnung
> in Berlin (erleben)
> ...

> **Gruppe B**
> eine deutsche Stadt 1945 (sehen)
> die Tochter (der Sohn) von Einstein (sein)
> in der Steinzeit (leben)
> eine Million Mark (gewinnen)
> ...

Die Klasse teilt sich in zwei Gruppen. Jedes Team bildet
sechs Fragesätze nach folgendem Muster:

Was *hättest* du *gemacht*, wenn du Kolumbus *gekannt hättest*?
Die Gruppen stellen einander abwechselnd Fragen, die spontan
beantwortet werden.
Beispiel: *Wenn ich Kolumbus gekannt hätte, wäre ich mit*
ihm nach Amerika gesegelt.

Für jede richtige Frage und Antwort gibt es einen Punkt.
Gewonnen hat die Gruppe mit den meisten Punkten.

2 Spiel: Lasst uns ein bisschen träumen!

Eine Kursteilnehmerin/Ein Kursteilnehmer sagt, wer oder was sie/er
gern einmal wäre. Das kann zum Beispiel ein Tier oder etwas ganz
Verrücktes sein. Dann fragt sie/er quer durch den Raum eine andere
Teilnehmerin/einen anderen Teilnehmer, was sie/er gern wäre.
Beispiel: *Ich wäre gern einmal ein Affe, dann könnte ich*
auf Bäumen sitzen.
Und du, was wärst du gern? ...

3 Was hätten Sie in Ihrer Kindheit gerne gemacht oder besessen?

Was war damals noch nicht erfunden oder nicht in Gebrauch?
Beispiele: *Als ich ein Kind war, gab es noch keine Computerspiele.*
Ich hätte gern damit gespielt.
Damals konnte man noch nicht ...

4 Zukunft

Sprechen Sie nun über die Zeit, die noch vor Ihnen liegt.
Beispiel: *Wenn ich etwas Verrücktes machen könnte,*
würde ich gern einmal mit einem Ufo fliegen.

ÜG S. 118

1 Formen des Konjunktivs II

a Formen der Gegenwart

In der Gegenwartsform benutzt man beim Konjunktiv II verschiedene Formen: die Umschreibung mit *würde* + Infinitiv oder die Originalform des Konjunktivs II.

Umschreibung mit *würde* + Infinitiv
Diese Form benutzt man heute häufig, um den Konjunktiv II auszudrücken, da viele Originalformen des Konjunktivs II, besonders die der starken Verben, veraltet klingen. Bei den schwachen Verben ist die *würde*-Form üblicher, weil man die Originalform nicht vom Präteritum unterscheiden kann.

ich	würde	helfen
du	würdest	fliegen
er/sie/es	würde	fragen
wir	würden	umsteigen
ihr	würdet	ausführen
sie/Sie	würden	lösen

Originalform des Konjunktivs II
Diese Form wird vom Präteritum abgeleitet. Die meisten starken Verben, die im Präteritum a/o/u haben, erhalten im Konjunktiv II einen Umlaut. Die Konjunktiv-II-Formen der schwachen Verben entsprechen den Formen im Präteritum. Die **Originalform** benutzt man vor allem bei den Hilfsverben *sein* und *haben*, bei den Modalverben und bei einigen starken Verben wie *kommen, geben, brauchen, schlafen, wissen, lassen, nehmen, halten*.

	Hilfsverben		Modalverben		starke Verben	schwache Verben
	sein	haben	müssen	können		
ich	wäre	hätte	müsste	könnte	ginge	kaufte
du	wär(e)st	hättest	müsstest	könntest	käm(e)st	machtest
er/sie/es	wäre	hätte	müsste	könnte	bräuchte	fragte
wir	wären	hätten	müssten	könnten	wüssten	zählten
ihr	wär(e)t	hättet	müsstet	könntet	ließet	spieltet
sie/Sie	wären	hätten	müssten	könnten	nähmen	erzählten

b Formen der Vergangenheit

ÜG S. 120

Der Konjunktiv II hat nur eine Vergangenheitsform.

Indikativ	Konjunktiv	Indikativ	Konjunktiv
er erlebte er hat erlebt er hatte erlebt	er hätte erlebt	ich flog ich bin geflogen ich war geflogen	ich wäre geflogen

Man bildet die Vergangenheitsform aus dem Konjunktiv II der Verben *haben* oder *sein* + **Partizip II**.

ich	hätte	gewartet		ich	wäre	gekommen
du	hättest	erzählt		du	wär(e)st	geflogen
er/sie/es	hätte	vergessen		er/sie/es	wäre	gegangen
wir	hätten	bekommen		wir	wären	geblieben
ihr	hättet	aufgeräumt		ihr	wär(e)t	erschrocken
sie/Sie	hätten	probiert		sie/Sie	wären	abgereist

___2___   Verwendung des Konjunktivs II

ⓐ Irreale Bedingung   ÜG S. 122

Gegenwart	
real	Die Menschen bewegen sich auf der Erde zu Fuß oder mit Fahrzeugen fort.
irreal	Wenn jeder Mensch sich ein Fluggerät auf den Rücken schnallen würde, (dann) wäre in der Luft das totale Chaos.
	Würde jeder Mensch mit einem kleinen Fluggerät durch die Luft fliegen, (dann) bräuchte man da oben Ampeln und Verkehrspolizisten.
Vergangenheit	
real	Die neue Brücke befand sich an der gleichen Stelle wie die alte.
irreal	Wenn sie die neue Brücke etwas weiter unten errichtet hätten, wäre ich ins Wasser gefallen.
	Hätte der Zeitreisende gewusst, dass er nicht in China, sondern in München gelandet ist, wäre er nicht so erstaunt gewesen.

ⓑ Wunsch   ÜG S. 124

Einen Wunsch, dessen Erfüllung unwahrscheinlich ist, kann man mit einem Satz im Konjunktiv II und einem der Partikelwörter *doch, nur, doch nur, bloß* bilden.

Realität	Wunsch
Der Reisende kann nicht nach Hause zurückkehren.	Wenn ich nur (bloß) nach Hause zurückkehren könnte!
Sein Freund ist zu Hause geblieben.	Wäre mein Freund doch mitgekommen!
Niemand versteht seine Worte.	Würde mich doch nur jemand verstehen!

ⓒ Irrealer Vergleich   ÜG S. 126

Man bildet irreale Vergleiche mit dem Ausdruck: so *tun/reden/* ..., *als ob/als wenn* ... + Konjunktiv II.
Statt Konjunktiv II wird auch Konjunktiv I oder Indikativ verwendet.
Steht nur *als*, so folgt das Verb im Konjunktiv II oder I.
In irrealen Vergleichen steckt häufig auch etwas Kritik.

> *Jemand hat im Jahre 2972 einen Fisch gesehen.*
>
> *Aber der Mann von der obersten Behörde tut so,*
>
> · *als ob der Zeuge zu viel Phantasie hätte.*
>
> · *als wenn es Fische und andere natürliche Lebewesen nie mehr geben könnte.*
>
> · *als hätte man die Probleme der Menschheit bereits gelöst.*

ⓓ Vorsichtige, höfliche Bitte   ÜG S. 140

Bei der höflichen Bitte benutzt man entweder die Modalverben *könnte* und *dürfte*, die Hilfsverben *wäre* und *hätte* oder die Umschreibung mit *würde*. Die höfliche Bitte im Konjunktiv II wird vor allem in der „Sie-Form" verwendet.

> *Dürfte ich Sie um Hilfe bitten?*
>
> *Könnten Sie mir sagen, wie spät es ist?*
>
> *Ich hätte gern ein Stück Schweizer Käse!*
>
> *Würden Sie mir bitte die Speisekarte bringen?*
>
> *Hätten Sie einen Moment Zeit für mich?*

7

3 Textgrammatik

Die Struktur eines Textes, der innere Zusammenhang seiner einzelnen Sätze lässt sich nicht nur an **inhaltlichen**, sondern auch an **formalen Elementen** erkennen. Dazu gehören **Verweiswörter**, die sich auf ganze Sätze, Satzteile oder Wörter beziehen. Auch „**Wortketten**" in Form von Synonymen oder **Umschreibungen** markieren einen inhaltlichen Zusammenhang innerhalb eines Textes.

a Verweiswörter auf Wortebene

Dazu zählen unbetonte und betonte Personalpronomen und Indefinitpronomen. Sie ersetzen für gewöhnlich ein Nomen und stehen im Folgesatz, d.h. sie verweisen zurück.

Ein Riese stand plötzlich vor mir. Er war in komische graue Kleider gehüllt.

Affen lassen sich nur schlecht zu langweiligen Tätigkeiten motivieren. Die würden sie nicht auf Dauer zuverlässig ausführen.

Früher haben viele Mediziner ihre Möglichkeiten überschätzt. Einige glaubten, sie hätten den Stein der Weisen gefunden.

b Verweiswörter auf Satzebene

Die Pronomen *das, dies* und *es* stehen im Nominativ oder Akkusativ. *Das* und *dies* verweisen auf etwas, was schon vorher im Text stand, und stehen meist auf Position 1. *Es* verweist für gewöhnlich auf etwas, was noch folgt. Im Akkusativ kann *es* nicht auf Position 1 stehen.

Affen als Erntearbeiter einsetzen. Dies war der Wunsch einiger renommierter Wissenschaftler.

Im Jahre 2000 ist der Mensch unsterblich. Das sah der Zukunftsautor A. C. Clarke voraus.

Es wäre technisch möglich, ein solches Fluggerät zu bauen.

Ich halte es nicht für ökologisch sinnvoll, Großstädte einzukapseln.

Präpositionalpronomen stehen in Sätzen, in denen das Verb mit einer festen Präposition verbunden ist. Man bildet sie nach der Regel: *da(r)-* + Präposition. Sie können sowohl *zurück* als auch *nach vorne* verweisen.

Eine riesige Glaskuppel wird New York vor Kälte schützen. Davon träumte der Architekt R. Fuller.

Mit Propellern auf dem Rücken in die Luft. Daran glaubte der Ingenieur C. H. Zimmermann.

Es geht im Alter darum, aktiv und möglichst selbstständig zu leben.

Untersuchungen an menschlichen Zellen deuten darauf hin, dass die normale menschliche Lebensspanne etwa neun Jahrzehnte beträgt.

c Synonyme und Umschreibungen

Wichtige Nomen im Text (Schlüsselwörter) kommen meist in mehreren aufeinander folgenden Sätzen vor. Sie werden dann sowohl durch Verweiswörter als auch durch **Synonyme** oder **Umschreibungen** ersetzt. Dadurch entstehen so genannte „Wortketten" im Text.

Es näherte sich, erschrick nicht, ein Riese. (...) Ich kann das Mienenspiel unserer Nachfahren noch nicht richtig deuten. (...) der erste Mensch, den ich nach meiner Reise von tausend Jahren sah, (...) Ich ging auf ihn zu, verbeugte mich und fragte: „Hoher Fremdling, oder hohe Fremdlingin! ...

GO!

Für welches Medium wird hier Werbung gemacht?

Was meinen Sie?
Was steht wohl in dem Text zu diesem Foto?

Es könnte sich hier um ... handeln.
Im Text zu diesem Foto könnte es um ... gehen.
Das ist eine Werbung für ..., denn auf dem Foto sieht man ...

8

WORTSCHATZ – *Computer*

__1__   Lesen Sie nun den Text unten.

a Welche Begriffe aus dem Werbetext beziehen sich auch auf das Foto?
b Was fällt an der Sprache des Werbetextes noch auf?
c Welche Begriffe finden Sie sicher nicht in einem deutschen
   Wörterbuch? Warum?

GO COMPUTER: Schwierigkeiten mit der Maus?
Kahle Stellen auf der Festplatte? Kein Problem.

GO! Bei CompuServe finden Sie in über 800 Foren Support
für Ihre Hard- und Software. Dazu Shareware zum Downloaden.

If Online – **Go CompuServe**. Info und Gratissoftware gibt's auf Anfrage.

http://info.CompuServe.de

__2__   Wie heißen die einzelnen Teile?
   Ordnen Sie zu.

die Diskette   die Tastatur   der Monitor   der Rechner   der Drucker   die Taste   das Notebook
                                der Bildschirm

das Diskettenlaufwerk   der Scanner   die CD-ROM   die Maus   das CD-ROM-Laufwerk   der Lautsprecher

__3__   Sie wollen Ihre E-Mails lesen und anschließend welche verschicken.
   Was müssen Sie machen? Bringen Sie die Vorgänge in die richtige
   Reihenfolge.

☐ den Posteingang aufrufen
☐ die eingegangenen E-Mails öffnen und
   lesen
☐ E-Mail-Anhänge herunterladen
☐ die Bilddatei anhängen
☐ das E-Mail-Programm aufrufen
☐ den Computer herunterfahren

☐ E-Mails von unbekannten Versendern
   löschen
☐ ein Bild einscannen
☐ den Computer einschalten
☐ die E-Mail verschicken
☐ das E-Mail-Programm beenden
☐ eine Antwort-Mail verfassen   `AB`

1 Lesen Sie Titel, Untertitel und Vorspann des folgenden Textes.
a Womit wird der Computer hier in Zusammenhang gebracht?
b Aus welcher Quelle stammt wohl der Text?

Computer-Sucht

DIE DROGE
DES 21. JAHRHUNDERTS

Der Computer kann psychisch abhängig machen. Wissenschaftler forschen an neuen Krankheitsbildern, ähnlich dem Alkoholismus und der Spielsucht.

Es gab mal eine Zeit, als der Heimcomputer nur ein dienstbares Instrument und dem
5 Menschen untertan war. Ein Büromöbel, mehr nicht. Knöpfchen an, Diskette rein, schon tippten wir im autodidaktischen Dreifingersystem Liebesbriefe, Diplomarbeiten, Flugblätter für die Demonstration und,
10 weil's so flott aussah, die Einkaufsliste für den Wochenmarkt. Ein bloßer Schreibapparat oder, je nach Bedarf, eine Rechenmaschine. Hauptsache, die Shift-Taste war am Platz und die Floppy-Disk beschriftet.
15 Wir hatten den schnurrenden Kasten im Griff, nicht umgekehrt.

Es war eine Zeit, in der wir noch Macht über die Maschine spürten. Dann kam das Modem. Die Box, aus der es pfeift und
20 knarzt, hauchte dem seelenlosen Objekt Leben ein, indem sie es via Telefonkabel mit seinen Artgenossen verband. Wir traten in Kontakt mit anderen „Bedienern", deren wahre Gesichter sich hinter Codes und
25 Zahlenkürzeln verbargen. Eine Parallelwelt, die wir erst müde belächelt haben, dann bestaunt und schließlich forsch erkundet: E-Mail, Online-Dienste, Internet, World Wide Web ...
30 Seitdem hängen wir an der elektronischen Nadel – zur Freude der Computerbranche. Wir können nicht mehr ohne, selbst wenn wir es wollten. Wir brauchen unsere tägliche Dosis Computer. Die alten Machtverhältnisse
35 haben sich gewendet. Längst hat der Computer uns im Griff. Wir richten den Tagesplan nach ihm, prägen den Umgangston nach seiner Kunstsprache, nötigen den „traditionellen" Medien wie Zeitschrift oder

Fernsehen seine pseudodreidimensionale 40 Optik auf.

Wir sind, nach jüngsten Erkenntnissen von Psychologen und Medizinern, reif für die Therapeutencouch. Die Diagnose: „Computersucht". 45
Machen Computer krank? Erste Studien besagen: Etwa 3% der amerikanischen Online-Gemeinde betreiben ihr „Hobby" unter sucht-ähnlichem Zwang, den sie nicht mehr kontrollieren können. Sobald sie sich 50 durchs Bildschirmfenster ins virtuelle Jenseits hineinsaugen lassen, nehmen sie die Koordinaten des Diesseits nicht mehr wahr: Zeit und Raum, Wahrheit und Lüge, Haupt- und Nebensache. Sie stöbern bis zum 55 Morgengrauen durch Datenbanken – und verschlafen Geschäftstermine. Ohne wirklich miteinander in engeren Kontakt zu treten, flirten sie mit einem Bildschirmgegenüber am anderen Ende der Welt – während das 60 reale Gegenüber im Nebenzimmer harrt. Sie zappen sich, Nacken gebeugt, Handgelenke verdreht, die Augen matt, dumpf von Web-Site zu Web-Site – und die Gebührenuhr rattert und rattert. 65

Psychologen vergleichen die Symptome der Online-Abhängigkeit in wissenschaftlichen Abhandlungen mit Spielsucht und Alkoholismus: Probleme am Arbeitsplatz, Beziehungskrisen, Verlust des Zeitgefühls, Ent- 70 zugserscheinungen. Virtuell gehörnte Ehefrauen reichen die Scheidung ein; Selbsthilfegruppen diskutieren, nach der Art der anonymen Alkoholiker, die Web-Manie – ausgerechnet! – im Internet.

__2__   Setzen Sie jeweils einen Satzteil aus der linken und der rechten Spalte zu Sätzen zusammen.

Bringen Sie anschließend die Sätze in die richtige Reihenfolge des Lesetextes.

☐ Das Gerät hatte also vor allem die Funktion,
☐ Die Computersucht kann so weit gehen,
☐ Früher benutzte man den PC
☐ Das änderte sich, als es möglich wurde,
☐ Im Extremfall zeigen die Süchtigen
☐ Damit hat sich der Mensch

☐ zu Hause zum Schreiben und Rechnen.
☐ mit anderen Computern in Verbindung zu treten.
☐ dass man die reale Welt nicht mehr wahrnimmt.
☐ in Abhängigkeit von einer Maschine gebracht.
☐ ähnliche Symptome wie Spieler und Alkoholiker.
☐ dem Menschen zu dienen.

`AB`

__3__   „Wortfelder" für *Computer* und *Sucht*

Suchen Sie alle Wörter aus dem Text, die mit der Welt des Computers einerseits und mit Sucht andererseits zusammenhängen.

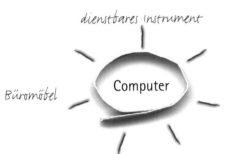

__4__   In welchem Zusammenhang stehen die Begriffe *Computer* und *Sucht* im Text?

`AB`

GR __5__   Temporale Konnektoren und Präpositionen

GR S. 129

a Suchen Sie im Text Sätze mit *als – seitdem – sobald – bis zu – während.*
b Ordnen Sie diese Konnektoren und Präpositionen in die Übersicht ein.

Nebensatzkonnektor	Hauptsatzkonnektor	Präposition

c Mit welchen Konnektoren oder Präpositionen kann man die Sätze umformulieren?
bis – gleichzeitig – gleich nach – seit

■ *Seitdem hängen wir an der elektronischen Nadel.* (Zeile 30)
.... dieser Zeit hängen wir an der elektronischen Nadel.

■ *Sie stöbern bis zum Morgengrauen durch Datenbanken.* (Zeile 55–56)
Sie stöbern durch Datenbanken, ... der Morgen graut.

■ *Sie flirten mit einem Bildschirmgegenüber am anderen Ende der Welt, während das reale Gegenüber im Nebenzimmer harrt.* (59–61)
Sie flirten mit einem Bildschirmgegenüber am anderen Ende der Welt. .... harrt das reale Gegenüber im Nebenzimmer.

`AB`

SPRECHEN 1

__1__ Welche Medien gibt es seit langem, welche erst seit kurzer Zeit?

Ergänzen Sie die „Treppe".

Radio
20er Jahre

__2__ Welche Medien spielen in Ihrem Heimatland eine besonders wichtige Rolle? Warum?

Welches Medium spielt noch keine wichtige Rolle bzw. keine wichtige Rolle mehr? Warum?

__3__ Über eine Graphik sprechen

Setzen Sie sich zu viert zusammen. Zwei Kursteilnehmer sehen sich das Schaubild unten an, die anderen das Schaubild im Arbeitsbuch.
Sehen Sie dabei nur Ihre Graphik an. Geben Sie Ihren Partnern die wichtigsten Informationen aus Ihrem Schaubild.

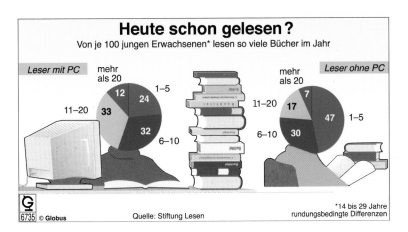

Heute schon gelesen?
Von je 100 jungen Erwachsenen* lesen so viele Bücher im Jahr

Leser mit PC
mehr als 20
12
1–5
24
11–20
33
32
6–10

Leser ohne PC
mehr als 20
7
17
11–20
47
1–5
6–10
30

6735 © Globus   Quelle: Stiftung Lesen   *14 bis 29 Jahre rundungsbedingte Differenzen

Die Graphik zeigt ...
Der Graphik ist zu entnehmen, dass ...
Dieses Schaubild gibt Auskunft (informiert) darüber ...
Man erfährt hier etwas über ...

AB

__4__ Informationen erfassen und wiedergeben

Notieren Sie die Informationen, die Sie über die andere Graphik erhalten. Sagen Sie Ihren Partnern, welche Informationen Sie erhalten haben.

SCHREIBEN 1

1 Film und Fernsehen

Gibt es in Ihrem Heimatland deutschsprachige Sendungen im
Fernsehen oder Filme im Kino? Welche? Beschreiben Sie eine Sendung
oder einen Film kurz und geben Sie eine Beurteilung ab.

2 Ein Brief

Sie haben vor kurzem im Fernsehen eine deutschsprachige Sendung
bzw. im Kino einen deutschsprachigen Spielfilm gesehen und berichten
nun Ihrer Brieffreundin davon.
Sagen Sie in Ihrem Brief etwas darüber,

- was für ein Typ von Sendung bzw. was für ein Film es war
  (zum Beispiel Krimi, Unterhaltungssendung, Show,
  Nachrichtensendung, Spielfilm usw.).
- worum es darin ging.
- wie Ihnen die Sendung bzw. der Film gefallen hat und warum.
- was für Sendungen aus Deutschland, Österreich oder der Schweiz
  Sie gerne im Fernsehen Ihres Heimatlandes sehen würden.

Schließen Sie Ihren Brief mit einem Gruß.

Schreiben Sie folgenden Brief einfach weiter.

> Liebe ...
> schön, mal wieder was von dir zu hören. Ich freue mich immer riesig,
> wenn ich einen Brief von dir bekomme. Mir geht es ganz gut. Ich habe
> jetzt wieder etwas mehr Zeit und komme deshalb öfter mal
> dazu, fernzusehen und ins Kino zu gehen.
> Gestern habe ich ...

3 Korrigieren Sie nun selbst.

Tauschen Sie Ihren Brief mit Ihrer Lernpartnerin/
Ihrem Lernpartner aus.

- **a** Prüfen Sie nach dem ersten Durchlesen, ob alle Punkte aus Aufgabe 2
  erwähnt werden.
- **b** Markieren Sie beim zweiten Lesen Fehler, die Ihnen auffallen.
- **c** Korrigieren Sie gemeinsam die markierten Fehler.
- **d** Diskutieren Sie, was Ihnen an den Briefen inhaltlich aufgefallen ist.

HÖREN 1

<u>1</u>   Sie hören jetzt eine Radiosendung über Analphabetismus.

Machen Sie zu zweit eine Liste.

Was ich über Analphabetismus weiß	Was ich darüber wissen möchte

<u>2</u>   Hören Sie den Beitrag zuerst einmal ganz.

Achten Sie beim ersten Hören darauf,

a wie viele Personen zu hören sind.

b welche der Punkte in Ihrer Liste erwähnt werden.

<u>3</u>   Sie hören den Text nun noch einmal in Abschnitten.

Beantworten Sie während des Hörens oder danach die folgenden Fragen.

Abschnitt 1 **a** Was bedeutet *funktional* im Zusammenhang mit Analphabetismus?

b Wie viele „funktionale Analphabeten" gibt es ungefähr in Deutschland?

c Nach einer Klischeevorstellung verbringen die meisten Jugendlichen ihre Freizeit mit:

....

d Manche junge Leute lesen auch gern. Was lesen die befragten Berufs-schüler gern? Nennen Sie mindestens drei Antworten.

1 ....

2 ....

3 ....

4 ....

Abschnitt 2 **e** Welche Gefahr besteht, wenn Kinder in den ersten Lebensjahren schon Computerfreaks sind?

f Warum ist es nach dem 14. Lebensjahr viel schwerer, gut lesen und schreiben zu lernen?

Abschnitt 3 **g** Was sind mögliche Gründe für große Lese- und Schreibschwächen? Kreuzen Sie an.

☐ Diese Menschen sind weniger intelligent.

☐ Sie haben oft soziale und familiäre Probleme.

☐ Man kümmert sich zu wenig um sie.

☐ Ihre Eltern können auch nicht lesen und schreiben.

☐ Sie haben oft die Schule gewechselt.

h Was können die Betroffenen tun, um ihre Situation zu verbessern?

AB

SPRECHEN 2

1 Planung eines Internet-Cafés

Sie haben vor, in Ihrem Heimatort, Ihrem Stadtteil ein Internet-Café zu eröffnen. Notieren Sie zu dritt Ideen auf Folie in einem Ideenbaum, einer so genannten Mindmap. Jeder Ast sollte mehrere Verzweigungen haben.

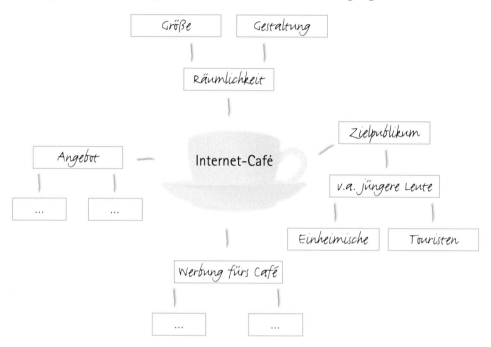

2 Präsentation

Die Teams präsentieren ihren Plan mit Hilfe der Folie im Kurs. Sie nennen dabei auch Schwierigkeiten und suchen nach Lösungen. Die Plenumsteilnehmer prüfen, ob die Planung überzeugend und praktikabel ist. Verwenden Sie in der Diskussion möglichst viele der folgenden Redemittel.

Vorschläge machen	auf den Partner eingehen	Schwierigkeiten nennen
Was hältst du/haltet ihr davon, wenn ...	Das ist eine gute Idee. Zusätzlich könnte man auch ...	Problematisch scheint mir vor allem ...
Ich hätte noch einen Vorschlag: ...	Du meinst/Ihr meint also, man sollte ...	Es kann leicht passieren, dass ...
Auf keinen Fall sollte man aber ...	Wenn ich dich/euch richtig verstehe, würdest du/würdet ihr ...	Ich sehe Schwierigkeiten eher in (darin, dass) ...
Vielleicht könnte man auch einmal ...		... führt häufig zu Problemen.

_1_ Silbenrätsel

Bilden Sie aus den Silben und Wortteilen möglichst viele Begriffe zum Thema Presse.

zeit   tikel   Maga   Fach   schrift   Schlag   Ar   Spal   Zeich   to
zin   Leser   Fo   nung   zeile   Kino   blatt   richt   Ab   Tages
te   Glos   Kom   Be   Titel   mentar   tage   brief   se   Repor
zeige   An   programm   zeitung   satz

_2_ Ordnen Sie die Begriffe aus dem Rätsel folgenden drei Oberbegriffen zu.

Druckmedien	formale Kriterien	inhaltliche Kriterien
Magazin	Spalte	Bericht

_3_ Welche Zeitungen/Zeitschriften lesen Sie regelmäßig? Warum?

- ☐ Tageszeitungen
- ☐ politische Wochenzeitschriften/Magazine
- ☐ Frauenzeitschriften/Männermagazine
- ☐ Fachzeitschriften (zum Beispiel: Sport, Wissenschaft, Computer ...)
- ☐ Regenbogenpresse
- ☐ andere

_4_ Kennen Sie die abgebildeten Titel?

Was wissen Sie über diese Zeitschriften bzw. Zeitungen?

_5_ Sie erhalten von Ihrer Kursleiterin/Ihrem Kursleiter verschiedene deutschsprachige Zeitungen oder Zeitschriften.

Sehen Sie sich jeweils zu viert eine davon näher an, ergänzen Sie die Liste unten und berichten Sie anschließend im Plenum.

Eine deutsche Zeitschrift oder Zeitung

Name

Welche Art von Publikation?

Erscheinungsort

Erscheint wie oft?

Layout (schwarz-weiß, farbig, illustriert, Größe der Titel)

Rubriken (Tageszeitung), z.B. Aktuelles, Kommentar, Vermischtes

Themen (Zeitschrift)

Schlagzeilen

Werbung

Sprachstil, Komplexität

Vermutungen über die Leser

Sonstiges

AB

LESEN 2

__1__ In welche Rubrik einer Tageszeitung passt die Schlagzeile unten?

☐ Innenpolitik ☐ Außenpolitik ☐ aktuelle Berichterstattung
☐ Klatsch und gesellschaftliche Ereignisse ☐ Feuilleton/Kultur

---

Reemtsma-Entführung: **Polizei jagt Superhirn**

__2__ Wo stand diese Schlagzeile wohl? Warum?

☐ in einer Boulevardzeitung (Auflage: 4 Millionen Exemplare täglich)
☐ in einer überregionalen Tageszeitung (Auflage: 400 000 Exemplare täglich)

A Die REEMTSMA-ENTFÜHRER – kann die Polizei sie jemals fassen?
Der Boss ist ein Superhirn. Selbst der Entführte spricht in einem Interview mit Hochachtung über den Mann, der ihn 33 Tage gepeinigt hat. Das Superhirn hatte das Verbrechen so perfekt geplant und ausgeführt, dass die Polizei auch 10 Tage nach Reemtsmas Freilassung noch nicht einmal das Geisel-Versteck gefunden hat.
Die Tricks des Superhirns: *Ein weiß getünchter Keller, irgendwo in Norddeutschland, gut eine Autostunde von Hamburg entfernt. Für 33 Tage das Geisel-Gefängnis des Hamburger Multimillionärs Jan Philipp Reemtsma (43). Superhirn, der Gangsterboss, hatte alles bis zum kleinsten Detail ausgetüftelt:*

■ **Er fand heraus, wo Reemtsma wohnt.** Gar nicht so einfach. Denn der Zigarettenerbe gibt als Adresse in Hamburg grundsätzlich den Krumdalsweg 17 an. Hier steht aber nur sein Arbeitshaus. In Wahrheit wohnt er im Krumdalsweg 11. Dort sind nur seine Frau und sein Sohn gemeldet – unter dem Namen Scheerer.

■ **Superhirn ließ den Krumdalsweg sechs Wochen lang ausspionieren.** Nicht einfach in einem Millionärsweg (Sackgasse, keine Wendemöglichkeiten), in dem sich jede Familie vor Entführungen fürchtet, auf kleinste Merkwürdigkeiten achtet.

■ **Die Benutzung eines ausländischen Kennzeichens am Entführer-Auto zur Irreführung der Verfolger – genial.** Die Buchstaben- und Zahlenkombinationen sind uns fremd. Auch Reemtsma wurde getäuscht, konnte sich die Buchstabenfolge (VF oder FV) nicht merken.

■ **Der Gangsterboss – er hat Nerven wie Drahtseile.** Auch nach der zweiten gescheiterten Geldübergabe keine Spur von Nervosität. Er erhöhte dreist das Lösegeld von 20 auf 30 Millionen Mark.

■ **Bei der Lösegeldübergabe – nur kein Risiko eingehen.** Um nicht wieder erkannt zu werden, ließ er für jeden Termin ein neues Auto klauen.

■ **Superhirn** – er ließ Reemtsma vor der Fahrt ins Geiselverlies die Uhr abnehmen, damit er nicht sehen konnte, wie lange er unterwegs war.

B Die Entführung des Hamburger Millionenerben Jan Philipp Reemtsma war das Werk einer professionell arbeitenden Verbrecher-Clique. Die Geiselgangster haben ihr Opfer gezielt und lange vorher ausgesucht, Grundstück und Nachbarn wochenlang beobachtet, die Tat bis ins Detail geplant und durchgeführt. Nur durch eine sorgfältig ausgeklügelte Strategie konnte das Lösegeld in Höhe von 30 Millionen Mark beim dritten Versuch übergeben und die dramatische Geiselnahme beendet werden.

In einem Exklusiv-Interview mit der *Süddeutschen Zeitung* hat Jan Philipp Reemtsma erstmals seine eigene Rolle in dem 33 Tage dauernden Entführungsfall erläutert. Er war mit einem der Gangster im ständigen Dialog. Er gewann das Vertrauen der Entführer, empfahl nach vier Wochen Geiselhaft einen Professor und einen Pfarrer als Lösegeldüberbringer, die von seinen Gangstern akzeptiert wurden. Sein Bewacher sei wenigstens nicht sadistisch gewesen, berichtete Reemtsma. In seinem nur schwach beleuchteten Verlies sei er aber zwischenzeitlich so verzweifelt gewesen, dass er einen Abschiedsbrief an seine Frau und seinen Sohn geschrieben habe.

Beim ersten Versuch der Geldübergabe waren der Rechtsanwalt Johannes Schwenn und Ann Kathrin Scheerer, die Ehefrau von Reemtsma, zu spät gekommen; beim zweiten Versuch warf der Anwalt den schweren Sack mit präparierten 20 Millionen Mark verabredungsgemäß über einen Zaun, doch die Beute wurde nicht abgeholt. Erst der dritte Versuch klappte. An der Autobahn bei Krefeld übernahmen die Kidnapper das Geld – diesmal unpräparierte Scheine, die eigens aus Amerika eingeflogen worden waren.

Auf die Frage, was die Zahlung des Lösegelds für ihn bedeute, meinte Reemtsma, allein der Verlust des Geldes sei für ihn nicht „ein besonders schmerzlicher Gedanke. Aber was man damit Vernünftiges hätte machen können, anstatt dass solche Lumpen es irgendwo auf den Bahamas verjuxen." Er hoffe, dass es der Polizei mit Hilfe seiner Beobachtungen gelinge, die Gangster zu fassen. „Ich will diese Leute vor Gericht haben", sagte Reemtsma in einem Interview, „es bedeutet mir viel, denen noch mal in die Augen zu sehen."

__3__ Beantworten Sie die folgenden Fragen zu den beiden
Zeitungsartikeln.

a Wer steht in den beiden Artikeln jeweils im Mittelpunkt
der Berichterstattung?

b Wie wird der Entführer dargestellt?
Unterstreichen Sie Charakterisierungen in den Texten.

c Welcher Artikel ist eher neutral, welcher drückt die Meinung
des Reporters aus?

d Welche Inhalte stehen in den beiden Artikeln im Vordergrund?

Artikel A	Artikel B	berichtet über
		■ die Vorbereitung der Geiselnahme
		■ das Verhältnis J. P. Reemtsma – Entführer
		■ die Qualitäten des Gangsters
		■ die problematische Übergabe des Lösegelds
		■ die Tricks der Entführer

e Welcher Artikel ist aus einer Boulevardzeitung? Woran erkennt man das?

`AB`

__GR 4__ Unterstreichen Sie die Verbformen der Aussagen von Jan Philipp
Reemtsma in Artikel B.

GR S. 130

8

Welche Verben geben die direkte, welche die indirekte Rede wieder?

__GR 5__ Kreuzen Sie die richtigen Aussagen an.

Die indirekte Rede

☐ drückt eine Distanz zum Gesagten aus.
☐ verwendet nur Formen des Konjunktivs I.
☐ gibt die Worte einer anderen Person wieder.
☐ benutzt man vor allem in geschriebenen Texten,
    zum Beispiel in der Zeitungssprache.
☐ hat vier verschiedene Zeitstufen.

__6__ Formen Sie die Sätze um.

a In die direkte Rede: Sein Bewacher sei wenigstens nicht sadistisch gewesen, berichtete
Reemtsma. In seinem schwach beleuchteten Verlies sei er aber zwischenzeitlich so verzweifelt
gewesen, dass er einen Abschiedsbrief an seine Frau und seinen Sohn geschrieben habe. (...) Auf
die Frage, was die Zahlung des Lösegelds für ihn bedeute, meinte Reemtsma, allein der Verlust
des Geldes sei für ihn nicht „ein besonders schmerzlicher Gedanke." *Reemtsma berichtete:*
„Mein Bewacher war wenigstens nicht sadistisch. ..."

b In die indirekte Rede: „Ich will diese Leute vor Gericht haben", sagte Reemtsma in einem
Interview, „es bedeutet mir viel, denen noch mal in die Augen zu sehen."
Reemtsma sagte in einem Interview, er ...

`AB`

1   Lesen Sie einen Auszug aus dem Bericht, den der Entführte nach seiner Freilassung schrieb.

J. Ph. Reemtsma im Keller

Ich hatte eigentlich nach Hause kommen wollen. Mitternacht; da war der Wald, in dem man mich ausgesetzt hatte, dann war da das Dorf gewesen, das erste Haus, in dem noch Licht brannte, und der darin wohnte, hat mich ohne Wenn und Aber hereinkommen lassen, obwohl ich ihm wie ein sehr sonderbarer Strolch vorgekommen sein muss. Ich habe meine Frau angerufen, gesagt: „Ich bin's. Ich bin frei." Und ich hatte mir ein Taxi rufen wollen, nach Hause fahren, einfach so, die dreiviertel Stunde hält du auch noch durch. Und dann der Moment, 33 Tage herbeigesehnt, obwohl ich mir während dieser 33 Tage verboten hatte, ihn mir auszumalen: Ich stehe vor unserer Haustür, ich klingle, meine Frau öffnet mir, und jetzt, jetzt könnte ich – was? Wahrscheinlich weinen, vielleicht einfach umfallen, nein, das nicht, aber in den Armen meiner Frau sehr, sehr schwer werden, die Spannung nicht mehr selber tragen, und dann (oder zuvor?) sie halten, fest, ihre Anspannung auffangen. ... Nein, wir würden raufgehen zu unserem Sohn (oder hat er mich gehört und kommt gerade die Treppe herunter?), und wir sind alle drei an seinem Bett (oder sitzen auf dem Teppich) und halten einander fest.

„Ich, ich rufe mir ein Taxi und bin dann in einer dreiviertel Stunde da." Irgend so etwas habe ich wohl gesagt und damit demonstriert, dass ich in den viereinhalb Wochen im Keller allerhand Realitätssinn eingebüßt hatte. Sie wolle kommen, sagte sie, mich abholen, und: „Wir fliegen nach New York." Ich wollte aber nach Hause. Ein kurzer Moment der Verwirrung. Dann setzte der Verstand wieder ein: Ich habe keine Ahnung, was hier draußen los ist, ich kenne mich nicht mehr aus, sie soll entscheiden.

Eine halbe Stunde erzähle ich meinem Gastgeber in ich weiß nicht wie geordneten Worten, was mir passiert ist. Dann ist die Polizei da, hat meine Frau dabei. Nein, keine Umarmungen, erst die Kleidung aus Gründen der Spurensicherung in diese Plastiksäcke. Wir gehen in einen Nebenraum. Ich ziehe mich um, merke wieder, wie unsicher ich auf den Beinen bin. Dann umarmen wir einander. Mein Gastgeber an diesem Abend sagte später in einem TV-Interview, das Gefühl, das wir ihm vermittelt hätten, sei *relief* gewesen, Erleichterung, aber eben mit diesem atmenden Klang, den das englische Wort hat: *relief*. Er hatte Recht.

2   Beantworten Sie die Fragen zu diesem Textauszug.
- ⓐ Welchen Moment der Entführung beschreibt Reemtsma?
- ⓑ Wo trifft er zunächst ein?
- ⓒ Wie stellt er sich seine Ankunft zu Hause vor?
- ⓓ Was geschieht tatsächlich?
- ⓔ In welcher psychischen Verfassung ist Reemtsma wohl zu diesem Zeitpunkt?
- ⓕ Wie erlebt Reemtsmas Gastgeber das Wiedersehen des Entführten mit seiner Frau?

Jan Philipp Reemtsma   Im Keller

HÖREN 2

<u>1</u>   Sie hören jetzt Radionachrichten.

Überlegen Sie vorher kurz: Worüber berichten Nachrichten im Radio normalerweise?

<u>2</u>   Hören Sie die vier Meldungen.

Ergänzen Sie beim ersten Hören die folgende Übersicht.

	Woher stammt die Nachricht?	Thema
Nachricht 1		
Nachricht 2		
Nachricht 3		
Nachricht 4		

<u>3</u>   Stichworte notieren

Hören Sie die vier Nachrichten noch einmal. Überprüfen Sie beim Hören jeder Nachricht, ob sie Antworten auf die folgenden Fragen enthält.

	Was ist passiert?	Wer?	Wann?	Wie viel?
Nachricht 1				
Nachricht 2				
Nachricht 3				
Nachricht 4				

<u>4</u>   Hören Sie die vier Nachrichten einzeln.

a Ergänzen Sie die Angaben.

Nachricht 1
1 Zwei Männer flohen mit einem gestohlenen Auto vor ....
   und nahmen ....
2 Nach dem Schusswechsel: ein Täter .... , die Geisel .... ,
   der zweite Täter ....

Nachricht 2
1 Die vier wichtigsten Unterzeichner der Reform: ....
2 Zahl der Regeln zur korrekten Schreibweise: ....
3 Veränderungen bei der Kommasetzung: ....
4 Ab wann sind die Regeln gültig? ....

Nachricht 3
1 Was mussten die Leute tun, die nahe bei der Lackfabrik wohnen? ....
2 Größe des Schadens: ....

Nachricht 4
1 Wahrscheinliche Entwicklung der Bierpreise: ....
2 Lieblingsbiersorten in Bayern:
   1 ....   2 ....

AB

b Was ist typisch für die Sprache der Nachrichten?

<u>5</u>   Rekonstruktion der Radionachrichten
Ergänzen Sie die Titel unten mit Hilfe Ihrer Stichpunkte
aus den Aufgaben 2 und 3. Geben Sie dann eine der Nachrichten
mit Hilfe Ihrer Stichpunkte mündlich wieder.

Nachricht 1: Schießerei mit der Polizei nach Geiselnahme
Nachricht 2: Reform der deutschen Rechtschreibung
Nachricht 3: Brand in Lackfabrik
Nachricht 4: Bierpreise in Bayern

Erstellen Sie gemeinsam eine Kurszeitung.

Arbeiten Sie in folgenden Schritten.

__1__ **Frage 1: Was?**

Sammeln Sie jeweils zu viert einige Themen für Ihre Zeitung.

Was ist alles Bemerkenswertes im Kurs passiert?

Kurszeitung

Wer ist wer im Kurs? Seite mit Fotos der Teilnehmer, Namen, Adressenliste für spätere Korrespondenz

Über unseren Kursort

__2__ **Frage 2: Wie?**

Diskutieren Sie, wie die einzelnen Ideen zu Papier gebracht werden könnten. Denken Sie zum Beispiel daran,

- wie lang jeder Beitrag sein soll.
- ob es eventuell bereits Beiträge gibt.
- ob Fotos bereits da sind oder gemacht werden sollen.
- wie das Titelblatt aussehen soll.

__3__ **Frage 3: Wer?**

Verteilen Sie die Aufgaben. Wer schreibt, zeichnet, fotografiert, layoutet, besorgt was? Am besten, jeder in der Klasse ist für eine bestimmte Aufgabe zuständig.

__4__ **Das Konzept**

Die folgende Übersicht ist als Anregung gedacht. Ergänzen Sie sie, verwenden Sie Teile daraus oder gestalten Sie sie völlig neu.

Seite	Was?	Wie?	Wer?
Titelblatt	Karikatur: unsere Klasse beim Lernen	Zeichnung	
2	Inhaltsverzeichnis	mit Computer	
3	Wer ist wer im Kurs?	Gruppenfoto mit Lehrern	
4	Kleinanzeigen	in Rubriken: Suche – Biete	
...			
letzte Seite	Namen- und Adressenliste	alphabetisch	

__5__ Wählen Sie eines der folgenden Themen und schreiben Sie einen möglichst unterhaltsamen Beitrag für die Kurszeitung.

- ☐ Kursnachrichten
- ☐ Ein Tag im Leben des Kursteilnehmers X. – Bildgeschichte mit Text
- ☐ Montag, erste Stunde Deutsch – eine Glosse
- ☐ Meine allerliebsten Grammatikfehler – oder: Ich lerne es nie.
- ☐ Unsere Lehrerin/Unser Lehrer – das (un-)bekannte Wesen
- ☐ Meine deutsche Gastfamilie
- ☐ Bericht über einen Ausflug
- ☐ Über unseren Kursort: Restaurantkritik
- ☐ Über unseren Kursort: Das Nachtleben in ...
- ☐ Videoclub: Filmkritik

__6__ **Bilden Sie zu zweit ein Redaktionsteam.**

Sie erhalten jeweils zwei Artikel der anderen Teilnehmer. Lesen Sie diese und machen Sie Vorschläge, wo gekürzt, worüber noch geschrieben und was korrigiert werden soll.

Nach der Endredaktion bekommen alle Kursteilnehmer ein Exemplar.

GRAMMATIK – *Konnektoren und Präpositionen 2*

In dieser Lektion werden temporale Konnektoren und Präpositionen behandelt. Kausale, konsekutive und konditionale Konnektoren und Präpositionen siehe Lektion 5, finale, konzessive, adversative und modale siehe Lektion 9.

1 Temporale Konnektoren und Präpositionen – Zeit

a Gleichzeitigkeit   ÜG S. 162-165

Konnektor/ Nebensatz	Als/Während ich am Computer arbeiten wollte, stürzte das Programm ab. Während sie sich „online" unterhalten, vergessen manche Leute die reale Welt um sich herum. Solange man den Computer noch für längere Zeit abschalten kann, ist man noch nicht süchtig.
Konnektor/ Hauptsatz	Ich wollte am Computer arbeiten. Da stürzte das Programm ab. Sie unterhalten sich „online". Gleichzeitig vergessen manche Leute die reale Welt um sich herum.
Präposition	Bei/Während meiner Arbeit am Computer stürzte das Programm ab.

b Vorzeitigkeit   ÜG S. 166

Konnektor/ Nebensatz	Bevor/Ehe man Briefe am PC korrigieren konnte, hatte man viel Arbeit damit.
Konnektor/ Hauptsatz	Heute korrigiert man Briefe am PC. Zuvor hatte man viel Arbeit damit.
Präposition	Vor den Korrekturmöglichkeiten am PC hatte man viel Arbeit mit Briefen.

c Nachzeitigkeit

Konnektor/ Nebensatz	Nachdem er den PC ausgeschaltet hatte, setzte er sich vor den Fernseher.
Konnektor/ Hauptsatz	Er schaltete den PC aus. Anschließend setzte er sich vor den Fernseher.
Präposition	Nach Ausschalten des Computers setzte er sich vor den Fernseher.

2 Konnektoren und Präpositionen auf einen Blick

Bedeutung	Konnektor + Nebensatz stellt das Verb ans Ende	Konnektor + Hauptsatz		Präposition
		kann auf Pos. 1 oder im Mittelfeld stehen	verändert die Wortstellung nicht	
temporal	als, wenn, immer wenn, sooft während, solange bevor, ehe seit(dem) nachdem sobald, gleich wenn, gleich nachdem, bis, so lange bis	da gleichzeitig vorher, zuvor seitdem dann, danach, anschließend gleich danach	und	bei + Dat. immer bei + Dat. während + Gen., Dat. vor + Dat. seit + Dat. nach + Dat. gleich nach + Dat. bis zu + Dat. bis + Akk.

ÜG S. 128

3 Formen der indirekten Rede

a Indirekte Rede in der Gegenwart: Konjunktiv I/II

	sein	haben	Modalverben	andere Verben
ich	sei	hätte	könne	ginge
du	sei(e)st/wär(e)st	hättest	könntest	ging(e)st
er/sie/es	sei	habe	könne	gehe
wir	seien	hätten	könnten	gingen
ihr	sei(e)t/wär(e)t	hättet	könntet	ginget
sie/Sie	seien	hätten	könnten	gingen

In der Gegenwartsform der indirekten Rede gibt es eine Mischung aus Formen von Konjunktiv I und Konjunktiv II. Die im heutigen Deutsch nicht mehr verwendeten Konjunktiv-I-Formen werden durch Konjunktiv-II-Formen ersetzt.

b Indirekte Rede in der Vergangenheit
Im Konjunktiv I gibt es wie im Konjunktiv II nur eine Vergangenheitsform (gegenüber drei Formen im Indikativ). Man bildet sie auf der Basis der Perfektformen.

Indikativ	Indirekte Rede	Indikativ	Indirekte Rede
er versprach er hat versprochen er hatte versprochen	er habe versprochen	sie reiste sie ist gereist sie war gereist	sie sei gereist
sie fragten sie haben gefragt sie hatten gefragt	sie hätten gefragt	sie flogen sie sind geflogen sie waren geflogen	sie seien geflogen

4 Funktion der indirekten Rede

In der indirekten Rede kann man wiedergeben, was ein anderer gesagt hat. Man benutzt sie vor allem, um in schriftlichen Texten etwas zu zitieren.

Direkte Rede	Indirekte Rede
Der Polizeisprecher sagte gestern: „Wir sind den Entführern auf der Spur und werden sie bald finden."	*Der Polizeisprecher sagte gestern, sie seien den Entführern auf der Spur und würden sie bald finden.*
Herr Reemtsma erklärte: „Ich gewann das Vertrauen der Gangster."	*Herr Reemtsma erklärte, er habe das Vertrauen der Gangster gewonnen.*
Auf die Frage: „Was bedeutet die Bezahlung des Lösegeldes für Sie?", meinte Reemtsma, ...	*Auf die Frage, was die Bezahlung des Lösegeldes für ihn bedeute, meinte Reemtsma ...*
Superhirn sagte zu Reemtsma: „Geben Sie mir Ihre Uhr!"	*Superhirn sagte zu Reemtsma, er solle ihm seine Uhr geben.**

* Der Imperativ wird in der indirekten Rede mit den Verben *sollen* oder *mögen* wiedergegeben.

9

1 Sehen Sie die Fotos oben an.

In welches Foto würden Sie am liebsten „einsteigen"?
Warum?

2 Bei welcher dieser Aktivitäten können Sie sich
am besten entspannen?

Wie häufig haben Sie Gelegenheit dazu?

Wenn ich Entspannung suche, ... ich am liebsten ...
Um mich wirklich zu entspannen, muss ich ...
Ein gutes Mittel gegen Stress ist für mich ...

__1__ Gut für das Wohlbefinden

a Ordnen Sie die Begriffe den Kategorien im Raster zu.
Ergänzen Sie in jeder Spalte ein bis zwei Begriffe.

ein warmes Bad nehmen – Milchprodukte – zügiges Gehen – tanzen – ausreichend Eiweißlieferanten – beschleunigter Puls und Atmung – Kohlehydrate – Relaxen im Wachzustand – Vollkornprodukte – körperliche Aktivität – Erholung in der Natur – Gartenarbeit – ausreichend Schlaf – gezielte Übungen im Fitness-Center – stärkehaltige Beilagen – richtiges Durchatmen – versteckte Fette – ein gutes Buch lesen – joggen – Vitamin- und Mineralstoffbomben – Meditation – auf dem Heimtrainer strampeln – Heißhunger kontrollieren – zu viele akustische Reize vermeiden

Bewegung	Ernährung	Entspannung
		ein warmes Bad nehmen

b Formulieren Sie mit Hilfe dieses Wortschatzes Tipps für folgende Personen:

Person A – ein gestresster Jungmanager, der so gut wie keine Freizeit hat
Person B – eine Studentin, die kurz vor ihren Prüfungen steht
Person C – eine junge Mutter mit zwei Kleinkindern

Der Jungmanager sollte auf jeden Fall ...
Für die Studentin empfehle ich ...
Dabei kann sie ...
Wenn ich die junge Mutter wäre ... ,
würde ich versuchen, ... zu ...
... könnte Person ... nicht schaden.

__2__ Sprichwörter

a Suchen Sie zu den Sprichwörtern jeweils die passende zweite Hälfte.

Sport	liegt die Kraft.
Wer rastet,	bringt Segen.
Wenn die Katze aus dem Haus ist,	der rostet.
In der Ruhe	ist Mord.
Sich regen	tanzen die Mäuse auf dem Tisch.

b Welche Ratschläge verbergen sich hinter diesen Sprichwörtern?
Beispiel: *Sport ist Mord. Man sollte nicht zu viel Sport treiben, weil das gefährlich ist.*

__3__ Ergänzen Sie die fehlenden Wörter in diesem Refrain eines Songs des Österreichers Reinhard Fendrich.
Alt – gesund – hart – Jung – Kraft – Schwung – Sport

Es lebe der ...
Der ist ... und macht uns ...
Er gibt uns ... er gibt uns ...
Er ist beliebt bei ... und ...

AB

__1__ Ernährungspyramide

a Ergänzen Sie die folgenden Wörter in die Spalte Empfehlung.

Eiweiß/Protein und Calcium – ungezuckerte, alkoholfreie Getränke –
kalorienreiche Fette, Öle und Süßigkeiten – Mineralstoffe und
Vitamine – stärkehaltige Beilagen, Kohlenhydrate

<u>Empfehlung</u> <u>Lebensmittel</u>

nur wenig   *Torten*

moderat   *vollfetter Käse*

ausreichend

viel
stärkehaltige Beilagen,
Kohlenhydrate

nach Belieben

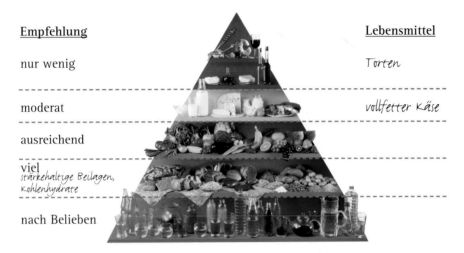

b Welche Lebensmittel gehören zu welcher Kategorie in der Pyramide?
z.B.: *Wurstwaren, Getreide, Tee, Früchte, ...*

Ergänzen Sie in der rechten Spalte für jede Kategorie 3–4 Lebensmittel.

__2__ Menüs

a Stellen Sie eine „gesunde" und eine „ungesunde" Mahlzeit zusammen.

	gesunde Mahlzeit	ungesunde Mahlzeit
Frühstück Mittagessen Abendessen		

Zum Frühstück gibt es heute ...
Außerdem servieren wir noch ...
Besonders lecker schmeckt dazu ...

b Lassen Sie die anderen raten, welche die gesunde und welche die ungesunde Mahlzeit ist.

__3__ Mit welcher Thematik haben die folgenden Ausdrücke zu tun?

die Pfunde purzeln lassen – FdH (Friss die Hälfte) – gezielt abnehmen –
auf Diät sein

__4__ Unterhalten Sie sich zu viert über folgende Fragen.

- Wer hat schon einmal versucht, mit Hilfe einer Diät abzunehmen?
- Was muss man bei dieser Diät beachten?
- Funktioniert Sie auch langfristig? Was ist in diesem
  Zusammenhang der so genannte Jo-Jo-Effekt?

AB

LESEN 1

__1__   Ess-Typen – Was stellen Sie sich darunter vor?

__2__   Stimmen Sie dieser Aussage zu? Begründen Sie Ihre Meinung.

> „Keine unserer lebenswichtigen Tätigkeiten hat so großen Symbolcharakter wie das Essen. In unserer Gesellschaft wird der primäre Grund des Essens, nämlich Hunger zu stillen, zweitrangig. Die sekundären Motive wie Genuss, Geselligkeit oder gesellschaftlicher Status scheinen zu überwiegen. Bei einigen Lebensmitteln genießen wir sogar mehr die soziale Anerkennung als den Geschmack."
>
> S. Fehrmann, Ernährungswissenschaftlerin

__3__   Sehen Sie sich die Bilder zu den Texten unten an.
    a Was für Lebensmittel sehen Sie auf den Fotos?
    b Wo kann man diese Waren kaufen?

__4__   Lesen Sie die Beschreibung verschiedener „Ernährungstypen".

„Gesund und natürlich"

Bei diesen Menschen steht die Gesundheit im Vordergrund. Die Nahrung soll möglichst naturbelassen und unbehandelt, also nicht weiterverarbeitet sein. Zusätze jeglicher Art werden abgelehnt. Authentischer, nicht künstlicher Geschmack ist für diese Menschen wichtig. Sie essen wenig Fleisch und viel frisches Obst und Gemüse. Hochindustrialisierte Produkte wie Dosen-, Instant-, und Fertiggerichte lehnen sie ab. Viele sind ökologisch orientiert, das heißt, sie kaufen konsequent im Naturkosthandel Erzeugnisse aus kontrolliertem Anbau.

„Gesund und fit"

Auch bei dieser Gruppe spielt die Gesundheit eine wichtige Rolle. Sie wird jedoch eher als Mittel zum Zweck gesehen, um im Beruf und bei den Hobbys möglichst fit zu sein. Nahrung soll vor allem den Körper leistungsfähig machen – oder erhalten. Der Geschmack ist Nebensache und darf durch künstliche Aromen erreicht werden. Gegessen wird auch Functional Food, also Lebensmittel mit gesundheitsfördernden Zusätzen, wie probiotischer Joghurt oder Mineraldrinks. Diese Esser sind vor allem an den Wirkungen ihrer Ernährung interessiert, nicht an weiter gehenden Informationen, etwa an Aspekten der Tierhaltung.

„Exklusiv und genussvoll"

Genuss beim Essen und die Exklusivität der Gerichte stehen bei dieser Gruppe im Vordergrund. Betont wird neben dem hohen Preis auch die Qualität von Lebensmitteln. Das Gesundheitsbewusstsein ist weniger stark ausgeprägt. Es wird viel und lange gekocht, aber auch häufig außer Haus gegessen.

„Traditionell und gut"

Anhänger des traditionellen Stils bevorzugen Mahlzeiten mit dem Etikett „wie früher", „gutbürgerlich" oder „deutsche Küche". Es wird deftig gegessen, mit viel Fleisch, Kartoffeln, Soßen und traditionellen einheimischen Gemüsen. Die Gerichte enthalten häufig einen sehr hohen Fettanteil. Deshalb ist in diesem Ernährungsmilieu der Fett- und Cholesteringehalt von Lebensmitteln ein beliebtes Gesprächsthema. Man trifft die Gruppe oft auf dem Wochen- und Bauernmarkt.

„Schnell und bequem"

Einfachheit und Geschwindigkeit der Zubereitung von Mahlzeiten stehen bei dieser Gruppe im Mittelpunkt. Das drückt sich hauptsächlich in einem hohen Konsum von Fertig- und Halbfertiggerichten aus. Hinter diesem Ernährungstyp verbergen sich die meisten Fast-Food-Fans. Das Thema gesunde Ernährung scheint diesen Menschen nicht so wichtig zu sein.

„Schnell und billig"

Auch für diese Esser ist Schnelligkeit Trumpf. Allerdings kommt bei ihnen noch der Preis als Entscheidungskriterium hinzu. Es wird fast ausschließlich auf billige Angebote geachtet und typischerweise bei Discountern oder in Verbrauchermärkten eingekauft. Diese Gruppe gilt in der Marktforschung als für weiterführende Ernährungsinformationen praktisch unerreichbar, da weder an gesundheitlichen noch an ökologischen Themen Interesse besteht. Die Entscheidung fällt – meist zwangsläufig wegen eines geringen Einkommens – über den Preis.

5 Ergänzen Sie die Informationen.

Typ	Was isst er?	Worauf legt er Wert?	Wo kauft er ein?
gesund und natürlich	naturbelassene Sachen		
gesund und fit			
exklusiv und genussvoll			
traditionell und gut			Wochen- und Bauernmarkt
schnell und bequem			
schnell und billig			

6 Zu welchem Typ gehören Sie am ehesten? Warum?

7 Sie wollen zu viert eine Woche gemeinsam verbringen.

Überlegen Sie, wie Sie Ihre Mahlzeiten gestalten wollen. Wie oft und was wollen Sie kochen, was müssen Sie dafür einkaufen? Wollen Sie auch essen gehen? Wenn ja, wie oft und in was für eine Art von Restaurant?

Machen Sie einen Plan für die ganze Woche.

	früh	mittags	abends
Samstag			
Sonntag			
Montag			
Dienstag			
Mittwoch			
Donnerstag			
Freitag			

AB

HÖREN

__1__ **Was versteht man unter „Wellness"?**

a Bringen Sie die Silben in den einzelnen Wörtern der Definition in die richtige Reihenfolge.

Ak–ten–tä–vi–ti zur rung–ge–stei des per–li–chen–kör und li–schen–see fin–be–Wohl–dens

_____

b Was gehört Ihrer Meinung nach zu einem Wellness-Programm?

__2__ **Sie hören ein Interview.**

a Wer spricht hier?

b In welcher Reihenfolge werden folgende Themen angesprochen?
- ☐1 verschiedene Kunden von Wellness-Angeboten
- ☐ Preise der Hotels
- ☐ problematische Angebote
- ☐ Unterschied zwischen Urlaubsprogramm und Wellness
- ☐ Unterschiedliche Bedürfnisse von Männern und Frauen
- ☐ zertifizierte Betriebe

__3__ **Sie hören das Gespräch nun noch einmal in Abschnitten.**
Lesen Sie die Aufgaben vor dem Hören. Ergänzen Sie die Antworten während des Hörens oder danach.

Abschnitt 1
Die beiden Personengruppen, die Wellness-Angebote nutzen, sind

_____ und _____

Frauen und Männer haben in Bezug auf Wellness unterschiedliche
Interessen, nämlich

Frauen: _____

Männer: _____

Abschnitt 2
Was Wellness nicht ist: _____

Es ist vielmehr: _____

Das Ziel sollte dabei sein: _____

Abschnitt 3
Das Verhältnis zwischen Preisen und Qualität ist nicht immer

_____

Dabei kann man sich an zwei Faktoren orientieren:

- ▪ _____
- ▪ _____

__4__ **Welche Informationen fanden Sie interessant?**

AB

„Gesundheit im Kurs – Tipps für einen ausgewogenen Lebensstil"
Stellen Sie einen kleinen Ratgeber zu diesem Thema zusammen.
Gestalten Sie dazu zum Beispiel ein Collageposter, das Sie im
Klassenzimmer aufhängen, oder ein Merkblatt, das Sie verteilen.

Arbeiten Sie in folgenden Schritten:

a Thematische Definition
Setzen Sie sich in Gruppen zusammen und überlegen Sie, unter wel-
ches Motto aus den Bereichen Bewegung, Ernährung oder Entspannung
Sie Ihr Poster stellen wollen.

b Ideensammlung
Machen Sie Stichpunkte, welche Aspekte Sie wichtig finden.

c Stoffsammlung
Sie erhalten von Ihrem Kursleiter/Ihrer Kursleiterin Zeitschriften und
Prospekte, Stifte, Schere, Klebstoff und einen großen Bogen Papier.
Suchen Sie aus den verteilten Materialien geeignete, d.h. ansprechende,
provokante oder auch witzige Bilder heraus.

d Sprachliche Gestaltung
Verfassen Sie Slogans, die an Menschen appellieren, die nicht genug
Rücksicht auf ihr Wohlbefinden und ihre Gesundheit nehmen.
Nehmen Sie die Wortschatzseite dieser Lektion zu Hilfe.

Beispiel: *Tun Sie für sich und Ihren Körper endlich mal etwas Gutes!*

> *Zur Vorbeugung gegen ... sollten Sie öfter mal ...!*
> *Warum entspannen Sie sich nicht mit ...!*
> *Vorsicht vor ...! Die gefährden Ihre Gesundheit!*
> *Versuchen Sie es lieber mit ...!*
> *Achten Sie bei ... auf ...!*
> *Wenn Sie sich kraftlos und abgespannt fühlen, ...*

e Fertigen Sie Ihr Poster oder Ihr Merkblatt an.
Poster: Verwenden Sie möglichst viele Bilder und dazu passende
Slogans.
Merkblatt: Schreiben Sie möglichst mit Computer.

f Vorstellung und Auswertung
Stellen Sie Ihr Poster im Kurs vor. Erklären Sie, warum Sie sich für das
Thema entschieden haben.

__1__ Was bereitet Ihnen Stress?

    a Geben Sie einige Beispiele aus Ihrem Alltag.

    b Wie gehen Sie damit um?

    c Ist Stress für Sie immer ein unangenehmer Zustand?

__2__ Welche Probleme haben diese Personen?

__3__ Lesen Sie dazu folgenden Text aus der Zeitschrift *Psychologie heute*.

Das Stressparadox

Stress muss nicht einfach hingenommen werden, er lässt sich durch einige Kniffe in eine positive Kraft verwandeln.

Sie müssen in drei Tagen eine Facharbeit an der Universität abgeben und es fehlen Ihnen immer noch 20 Seiten. Ein Idiot nimmt Ihnen im Auto die Vorfahrt und zwingt Sie zu einer Vollbremsung. Es ist halb sechs nach-
5 mittags, Sie haben in einer Stunde Ihr erstes Rendezvous mit der Bekanntschaft vom vergangenen Samstagabend. Ihr Chef bringt Ihnen Arbeit, die dringend noch heute zu erledigen ist.

Stress ist allgegenwärtig in unserem Leben. Und er
10 scheint ständig zuzunehmen – der Preis für unsere Lebensweise. Sie ist geprägt von Tempo, wachsender Komplexität, Unsicherheit, Konkurrenzdruck, Über- reizung, aber auch vom unablässigen Streben nach mehr: mehr Erfolg, Geld, Genuss, Glück,
15 Aufmerksamkeit.

Wir sehen Stress als unvermeidliches Übel und die Wunden, die er schlägt, gelten mitunter schon als Leistungsnachweis – wer keinen Stress hat, erscheint verdächtig. Manche zitieren gerne den Nietzsche-
20 Satz: „Was uns nicht umbringt, macht uns nur här- ter!" Aber diese „Weisheit" ist, im Lichte der moder- nen Stressforschung betrachtet, grundfalsch. Was uns nicht sofort umbringt, macht uns nicht nur ner- vös, erschöpft und missgelaunt, es macht einige
25 Gestresste sogar fett, wie man in einer Studie her- ausfand: Stress raubt uns nicht nur die Seelenruhe, er ist eng verknüpft mit den großen Killerkrankheiten – hohem Blutdruck, Herzinfarkt und Krebs.

Stress entsteht für den heutigen Menschen vor allem dort, wo ihm die
30 Kontrolle über die Dinge zu entglei- ten droht: Nicht eine hohe Arbeitsbelastung, auch nicht Krisen oder Konflikte machen uns krank, sondern das Gefühl, das eigene Leben nicht mehr steuern und beein- flussen zu können.
35

Nicht immer merken wir sofort, was Stress uns antut, manchmal ist seine gesundheitszersetzende Wirkung erst nach Monaten und Jahren erkennbar. Negativer Stress wirkt in drei Spielarten:

■ Akuter Stress überfällt uns wie ein Raubtier und löst sofort hef-
40 tige körperliche Reaktionen aus – Schweißausbrüche, Herzrasen, feuchte Hände sind die Symptome der „Kampf-oder-Flucht- Reaktion".

■ Bei mittelfristig wirksamem Stress passt sich der gestresste Körper an die Belastung an – wir glauben fälschlicherweise, alles
45 sei wieder im Lot, **während** die chemische Balance unserer Hormone nachhaltig gestört bleibt.

■ Chronischer Stress: Auf ungelöste Probleme oder wiederkehren- de Ärgernisse reagiert der Körper eher „unauffällig", indirekt und unspezifisch, **indem** er seine chemische Balance dauerhaft verän-
50 dert. Wir unterschätzen diesen schleichenden Stress, weil er ver- gleichsweise undramatisch wirkt. Verschwinden chronische Stressoren nicht aus unserem Leben – ein schikanöser Chef, ein permanent unzufriedener Partner –, dann passt sich der Körper an die Dauererregung an, etwa **durch** anhaltend erhöhten Blutdruck,
55 den wir mit der Zeit für normal halten. Bösartiger chronischer Stress lässt sich **jedoch** an bestimmten typischen Signalen able- sen: Wenn wir häufig erschöpft, morgens schon todmüde, unkon- zentriert, ängstlich oder konfus sind, ist fast immer Stress die Ursache. Und länger anhaltende Stressphasen münden nicht sel-
60 ten in das Burn-out-Syndrom, dem Gefühl, ausgebrannt zu sein.

Richtig ist, dass wir einen Großteil des Stresses kaum vermeiden können. Zudem trennt oft nur ein schmaler Grat das, was uns schädlichen Distress verursachen kann, von
65 dem unschädlichen Eustress, der die Quelle für tiefste Befriedigung, wenn nicht gar Glück ist. So klagen die meisten Menschen zwar über Stress bei der Arbeit – gleichzeitig sind sie, das hat die Untersuchung eines amerikanischen „Glücksforschers" gezeigt, am Arbeitsplatz am
70 glücklichsten. Partnerbeziehungen und Familienleben zeigen ebenfalls ein Janusgesicht – wir brauchen Bindungen und Geborgenheit, obwohl wir häufig dafür mit Stress pur bezahlen.

Der Kardiologe Kenneth Cooper, der 1968 den Begriff (und die entsprechende Fitnessphilosophie) Aerobics erfand, 75 plädiert für eine besondere Taktik im Umgang mit Stress: Weil der potenziell krank machende Stress nicht zu eliminieren ist, sollten wir ihn erstens akzeptieren, ihn zweitens aber in „positiven" Stress umwandeln lernen, der uns beflügelt und voranbringt, ohne gesundheitlichen 80 Schaden anzurichten.

Der Feind ist also der „böse" Stress – ihn zu erkennen, einzudämmen oder sogar in „guten" Stress umzuwandeln ist die Voraussetzung für erfolgreiches Stressmanagement.

Heiko Ernst

4 Welche Textpassagen beschäftigen sich mit diesen Fragen?
Notieren Sie Zeilennummern.

Zeile	1–8	Beispiele für Stress-Situationen im Alltag
		Auslöser von Stress
		Belastender Stress entsteht, wenn ...
		Drei Arten von negativem Stress
		Der Unterschied zwischen Distress und Eustress
		Mögliche Folgen von zu viel Stress
		Ziel im Umgang mit Stress

5 Fassen Sie mit Hilfe von Aufgabe 4 die Hauptaussagen des Textes mündlich zusammen.

`AB`

GR 6 Konnektoren und Präpositionen   GR S. 142

a Markieren Sie im Text Sätze mit *aber, während, indem, durch, jedoch, obwohl, ohne ... zu, für, ...*

b Ordnen Sie die Konnektoren und Präpositionen nach folgendem Schema und ergänzen Sie die Lücken, wenn möglich.

	Hauptsatzkonnektor	Nebensatzkonnektor	Präposition
adversativ	aber		
konzessiv	trotzdem	obwohl	trotz
final			
modal			

c Formulieren Sie die Sätze um.
Beispiel:

Wir brauchen Bindungen und Geborgenheit, obwohl wir häufig dafür mit Stress bezahlen.
Wir bezahlen häufig mit Stress für Bindungen und Geborgenheit, trotzdem brauchen wir sie.
Trotz des Stresses, mit dem wir ...

`AB`

SPRECHEN 2

__1__ **Was ist Ihnen persönlich beim Deutschsprechen besonders wichtig?**
Wählen Sie eine der folgenden Aussagen aus und begründen Sie Ihre Wahl.

Dass ich möglichst wenige Fehler mache.

Dass ich mich aktiv an einem Gespräch beteiligen kann, egal, ob ich dabei Fehler mache.

Dass ich möglichst flüssig spreche, das heißt ohne Stottern und lange Pausen.

Dass man an meiner Aussprache nicht sofort merkt, woher ich komme.

Dass ich mich präzise ausdrücke, d.h. die richtigen Wörter kenne.

__2__ **Wie gut sprechen Sie Deutsch?**

ⓐ Testen Sie sich selbst. Sprechen Sie über das Bild rechts und nehmen Sie dabei Ihre Stimme auf Kassette auf.
- ■ Beschreiben Sie zuerst so genau wie möglich, was Sie auf dem Foto sehen.
- ■ Sagen Sie dann, welche Situation das Bild zeigt.

Sprechen Sie mindestens zwei Minuten.
Hören Sie sich die Aufnahme an.

ⓑ Was fällt Ihnen an Ihrer Aussprache auf?
Welche Wörter oder Laute fallen Ihnen schwer?

ⓒ Beurteilen Sie sich selbst. Geben sie sich für jedes der vier Kriterien eine Einschätzung. zufrieden: + nicht zufrieden: −

Ausdruck	korrektes Sprechen	flüssiges Sprechen	Aussprache

Woran wollen Sie in Zukunft besonders intensiv arbeiten?

ⓓ Hören Sie jetzt, wie ein Muttersprachler das Bild beschreibt. Vergleichen Sie. Was ist anders?

__3__ In der gesprochenen Sprache braucht man manchmal eine Denkpause.
Damit der Faden nicht abreißt, benutzen Muttersprachler in solchen
Situationen kurze Füllwörter. Manche von ihnen haben keine
Bedeutung, zum Beispiel *äh, hm, ...* Die folgenden Redewendungen sind
manchmal hilfreich:
Nun, ich sehe das so: ...   Also, es ist (doch) so: ...   Wissen Sie, was ich denke: ...
Die Sache ist die, ...   Offen gesagt, ...

__4__ **Spiel: Moment bitte!**
Das folgende Spiel soll Ihnen helfen, flüssiges Sprechen zu üben.
Setzen Sie sich jeweils zu viert zusammen und verteilen Sie folgende
vier Themen. Jeder soll anschließend eine Minute ohne Pause über „sein"
Thema sprechen.

Sport ist Mord

Haustiere sind gut für die Seele

(Deutsches) Frühstück

(Die Deutschen und das) Spaziergengehen

Die anderen in der Gruppe notieren, welche Techniken zur Wortfin-
dung und zur Überbrückung von Denkpausen die Sprecher jeweils verwenden.

SCHREIBEN

  1   Welchen Sport treiben Sie selbst und wie finden Sie Partner dafür?

  2   Sehen Sie sich folgende Graphik an.
           Welche Informationen finden Sie interessant?

  3   Ausarbeitung eines schriftlichen Kurzreferats
           Arbeiten Sie in folgenden Schritten.   **AB**

Im Sportverein

Mitgliederzahl der größten Sportverbände im Deutschen Sportbund im Jahr 2001 in 1 000

Fußball	6 263
Turnen	4 963
Tennis	1 987
Schützen	1 582
Leichtathletik	859
Handball	832
Reiten	758
Tischtennis	694
Ski	685
Sportfischen	664
Schwimmen	641
Alpenverein	632
DLRG	557
Volleyball	524
Golf	370
Behinderten-sport	325
Judo	276

Quelle: Deutscher Sportbund

© Globus

Schritt 1:

Sammeln Sie Stichworte zu folgenden Fragen.

- Welchen Sport treiben Sie und wie finden Sie Partner dafür?

- Welche Bedeutung hat Sport in unserer Gesellschaft heutzutage?

- Welche interessanten Informationen entnehmen Sie der Statistik?

- Welche Funktion kann ein Sportverein über den sportlichen Aspekt hinaus haben?

- Wie organisieren sich die Menschen in Ihrem Heimatland beim Sport?

Schritt 2:

Gliedern Sie Ihren Text. Beantworten Sie dabei folgende Fragen.

- Mit welchem der Punkte oben leite ich das Referat am besten/interessantesten ein?

- Welche Argumente passen logisch hintereinander?

- Wie bringe ich meine Meinung zum Ausdruck?

- Womit schließe ich mein Referat ab?

Schritt 3:

Wählen Sie nun passende Sätze aus.

- **Persönlicher Einstieg***
  Letztes Jahr beschloss ich, Tennis spielen zu lernen. ...

- **Einführung ins Thema**
  Allgemein kann man feststellen, dass... Heutzutage ist es für viele Menschen wichtig ...

- **Informationen zusammenfassen**
  Die meisten/Die Hälfte aller ... sind laut Statistik ...
  Der Graphik können wir entnehmen, dass mehr als die Hälfte ...

- **Folgerungen**
  Das bedeutet, dass in Deutschland ...
  Daraus kann man schließen: ...

- **Vergleich zum Heimatland**
  Im Vergleich zu Deutschland sind die Menschen in meinem Heimatland ...
  Anders als die Deutschen sind wir ... eher ...
  Die ... sind in diesem Punkt ähnlich wie die Deutschen: ...

- **Persönliche Bewertung**
  Meiner Ansicht/Meinung nach ...
  Was mich betrifft/angeht, würde ich sagen, dass ...

- **Schluss**
  Abschließend kann man also festhalten, dass ...
  Meine persönlichen Erfahrungen zeigen: ...

  4   Verfassen Sie nun Ihren Text.   **AB**

* Anrede und Gruß sind bei einem schriftlichen Referat nicht unbedingt notwendig

9

Konnektoren versus Präpositionen

___1___ Finale Konnektoren und Präpositionen – Zweck   ÜG S. 172

Konnektor/Nebensatz	Um mit Stress erfolgreich fertig zu werden, sollte man verschiedene Regeln beachten.
	Die Krankenkassen empfehlen ihren Mitgliedern gesünder zu leben, damit sie Bluthochdruck und Herzinfarkt vermeiden.
Präposition	Für einen erfolgreichen Umgang mit Stress sollte man verschiedene Regeln beachten.
	Zur Vermeidung von Bluthochdruck und Herzinfarkt empfehlen die Krankenkassen ihren Mitgliedern gesünder zu leben.

___2___ Adversative Konnektoren – Gegensatz   ÜG S. 178

Konnektor/Nebensatz	Wir glauben, alles sei wieder in Ordnung, während die chemische Balance im Körper gestört bleibt.
Konnektor/Hauptsatz	Wir glauben, alles sei wieder in Ordnung, aber (jedoch) die chemische Balance im Körper bleibt gestört.
	Wir glauben, alles sei wieder in Ordnung, die chemische Balance im Körper jedoch bleibt (jedoch)* gestört.

* alternativ entweder vor oder nach dem Verb

___3___ Konzessive Konnektoren und Präpositionen – Einräumung   ÜG S. 176

Konnektor/Nebensatz	Wir brauchen Bindungen und Geborgenheit, obwohl wir häufig dafür mit Stress bezahlen.
Konnektor/Hauptsatz	Häufig bezahlen wir dafür mit Stress. Trotzdem (Dennoch) brauchen wir Bindungen und Geborgenheit.
Präposition	Trotz des häufig damit verbundenen Stresses brauchen wir Bindungen und Geborgenheit.

___4___ Modale Konnektoren und Präpositionen – Art und Weise   ÜG S. 180

Konnektor/Nebensatz	Dadurch, dass er anhaltend den Blutdruck erhöht, passt sich der Körper an die Dauererregung an.
	Übergewicht lässt sich erfolgreich bekämpfen, indem man sich regelmäßig bewegt und fetthaltige Nahrungsmittel reduziert.
	Positiver Stress bringt uns voran, ohne gesundheitlichen Schaden anzurichten.
Präposition	Durch anhaltend erhöhten Blutdruck passt sich der Körper an die Dauererregung an.
	Übergewicht lässt sich durch regelmäßige Bewegung und Reduzierung von fetthaltigen Nahrungsmitteln bekämpfen.
	Positiver Stress bringt uns ohne gesundheitliche Schädigung voran.

10

1 Welches Verkehrs- oder Fortbewegungsmittel ist Ihnen sympathisch, welches nicht? Begründen Sie.

2 Was – wofür?

Beurteilen Sie die Verkehrsmittel danach, für welchen Zweck sie sich besonders eignen. Berücksichtigen Sie dabei Faktoren wie Geschwindigkeit, Preis, Bequemlichkeit, Erreichbarkeit des Ziels usw.

> *Das Flugzeug eignet sich besonders ...*
> *Ungünstig ist es allerdings, wenn ...*

3 Berichten Sie über typische Verkehrsmittel in Ihrem Heimatland/Ihrer Stadt.

> *Bei uns fahren viele mit ...*
> *Wer es sich leisten kann, hat bei uns ...*
> *Man benutzt vor allem ...*

__1__ Woran denken Sie bei folgenden Stichworten?

Musik
Stars
Mode

50er und 60er Jahre

wissenschaftliche Entwicklung
Autos zu dieser Zeit
wichtige Ereignisse

__2__ Was wissen Sie über dieses Auto und seine Geschichte?

a Von welchem deutschen Automobilhersteller ist der Wagen?
b Wie nennt man das Modell und woher hat es wohl seinen Namen?
c Seit wann gibt es dieses Auto?

__3__ Lesen Sie nun den folgenden Text.
Wie alt ist der Verfasser des Textes etwa?

Auf Zeitreise mit dem Käfer

10

Wenn ich an den VW-Käfer denke, könnte mir ja Professor Ferdinand Porsche einfallen, der dieses Auto 1934 erfunden hat. Oder solche Dinge wie Heckmotor, Luftkühlung, Brezelfenster oder der 4. März 1950, als bereits der 100.000. Käfer vom Band krabbelte. Mir fallen aber immer ganz andere Dinge ein: etwa Milchbar und Motorroller, Elvis Presley, Partys und Petticoats. Wir tanzten Rock'n'Roll, trugen die Zigaretten lässig im Mundwinkel wie James Dean, der 1956 mit seinem Porsche verunglückte, und nachts starrten wir zum Himmel, um Sputnik, den ersten Satelliten, zu sehen, der seit 1957 um die Erde kreiste. Als der erste Fernseher bei uns zu Hause stand, freuten sich vor allem die Nachbarn: Die standen dann abends regelmäßig mit Bier und Salzstangen vor der Tür. 1960 traten in Hamburg zum ersten Mal die Beatles auf – in einem Striptease-Lokal. Im gleichen Jahr kam die Anti-Baby-Pille auf und Armin Hary rannte in Rom die 100 m in 10,2 Sekunden. 1961 war Juri Gagarin der erste Mensch im Weltraum.

In Berlin wurde die Mauer gebaut. Der VW-Käfer war damals noch ein „Halbstarker", wie die Erwachsenen uns Burschen nannten, war also noch jugendlich und überall dabei, wo was los war. Anfang der 60er Jahre waren schon über fünf Millionen Käfer unterwegs und sie vermehrten sich weiter wie die Kaninchen: 1967 war die 10. Million erreicht und 1972 stellte VW mit über 15 Millionen Exemplaren den bisherigen Produktionsrekord des Ford-T-Modells ein. Zwei Jahre später kam der Golf. Der Käfer musste aus Wolfsburg ausziehen, wurde aber in Emden, Brüssel und Übersee mit täglich 3300 Exemplaren noch munter weitergebaut. 1979 lief der letzte europäische Käfer – ein Cabrio – vom Band. Ein Ende war aber keinesfalls in Sicht, denn in Mexiko wurde das Erfolgsauto bis 2003 weitergebaut. 1992 war in Puebla das 21-millionste Exemplar gepresst worden.

Weil Technik und Sicherheit des Dauerbrenners Mitte der 90er Jahre nicht mehr aktuell waren, brachte VW einen „neuen" Käfer heraus. Der kommt zwar auch wieder aus dem Puebla-Werk in Mexiko, aber unterm Blech steckt inzwischen modernste Technik.

Und dieses Auto, Freunde, ist der Hit! Es sieht so käfermodern aus, wie ein moderner Käfer nur aussehen kann, mit bulliger Spur, großen Rädern, dicken Kotflügeln, einem Porsche-Lächeln im Gesicht und einem so raffinierten Hintern, dass man es nicht glaubt. Motor (vom Golf) und Antrieb sitzen vorn, hinten gibt's eine schöne große Hecktür und einen respektablen Kofferraum plus umklappbare Rückbank. Käfertypisch Nostalgisches ist wirklich toll in modernes Design umgesetzt. Ich sehe Halteschlaufen – und aaah, ich glaube es nicht, eine Blumenvase. Die allein ist ja schon Grund genug, das Auto zu kaufen. 100.000 Käfer pro Jahr sind geplant. 60 % davon werden wohl in die USA und 40 % nach Europa gehen. Der Käfer biegt in die unendliche Geschichte ein und der Motorroller hat längst sein Comeback gefeiert. Fehlen jetzt eigentlich nur noch die Petticoats für die Mädels.

__4__   Lesen Sie die erste Hälfte des Textes bis Zeile 59 noch einmal.

Notieren Sie sowohl die Stationen der Entwicklung des Käfers als auch andere wichtige Ereignisse dieser Zeit.

Jahr	Entwicklung des Käfers	Jahr	Ereignisse dieser Zeit.
1934	Erfindung des Käfers durch F. Porsche	1956	James Dean verunglückte tödlich.
1950		1957	
1967		1960	
1972		1961	
1979			
2003			

__5__   Worum handelt es sich im vierten Textabschnitt (Zeile 68-97)?

☐ um eine sachliche, neutrale Beschreibung der Vor- und Nachteile des Wagens

☐ um eine kritische Analyse der Ausstattung des neuen Modells

☐ um ein Lob auf den neuen Käfer, mit persönlicher Begeisterung geschrieben

__6__   Zeigen Sie auf dem Foto einige Teile des neuen Käfers, die im Text beschrieben werden.

GR __7__   Unterstreichen Sie im Text alle Passivformen.   GR S. 158

GR __8__   Ergänzen Sie die Passivsätze.

ⓐ In Berlin	wurde	die Mauer	gebaut.
ⓑ 1967			
ⓒ Der Käfer			
ⓓ 1992			
ⓔ Käfertypisch Nostalgisches			
ⓕ 100.000			
ⓖ in Mexiko			

GR __9__   Vergleichen Sie die Passivformen der Sätze oben.

ⓐ Welche Sätze haben die gleiche Struktur?

ⓑ In welchen Sätzen wird ein Vorgang ausgedrückt?

ⓒ In welchen Sätzen wird ein Zustand ausgedrückt?

     AB

10

1   Beschreiben Sie das Foto.

Was könnte die Zeitung dazu berichtet haben?

Den passenden Zeitungsartikel finden Sie im Arbeitsbuch.

> *Auf dem Bild sieht man ...*
> *Auf dem Foto sind ... abgebildet, die ...*
>
> *Das Besondere daran ist, dass ...*
> *Sehr auffällig ist ...*
>
> *Das Ganze wirkt ...*
> *Man hat den Eindruck, ...*
>
> *Die Zeitung hat vermutlich berichtet, dass ...*
> *Wahrscheinlich steht in der Zeitung, dass ...*
> *Der Kommentar zu diesem Foto könnte lauten: ...*

2   Spiel: Auf dem Polizeirevier

Ziel des Spieles ist es, zu erraten, mit welchen Problemen eine
Spielerin/ein Spieler auf ein „Polizeirevier" kommt.
Eine Spielerin/Ein Spieler erhält von der Kursleiterin/dem Kursleiter
eine Anweisung, die die anderen in der Klasse nicht kennen.
Beispiel: *Ich war im Supermarkt beim Einkaufen. Als ich aus dem
Geschäft kam, war mein Fahrrad gestohlen.*
Ohne ein Wort zu sprechen, also ausschließlich mit nonverbalen
Mitteln, spielt die Person ihr Problem in der Klasse vor. Die anderen
versuchen, die Gesten zu deuten, und äußern Vermutungen.
Die Spielerin/Der Spieler gibt zu verstehen, welche Vermutungen richtig
sind, und zwar so lange, bis die Klasse erraten hat, was sie/er auf dem
Polizeirevier melden wollte.

1 Sehen Sie sich den ersten Absatz des folgenden Textes kurz an.

Woher stammt er wohl?

☐ aus einer Werbeschrift für Navigationssysteme
☐ aus einer Fachzeitschrift für Ingenieure
☐ aus dem Wirtschaftsteil einer Tageszeitung

2 Lesen Sie den Text und ergänzen Sie anschließend in der Textzusammenfassung (S. 148) die fehlenden Nomen.

Autonavigation mit Kurs auf den Massenmarkt

Bonn (Reuter) – Ein trüber Novembertag. Auf dem Weg zu einem Geschäftstreffen in Frankfurt steigt der Autofahrer in Köln in seinen Wagen und schaltet den Bordcomputer an. Nachdem der Zielort
5 eingegeben worden ist, nimmt der Computer mit einem Satelliten in 17.700 Kilometer Entfernung zur Erde Verbindung auf und wertet Daten über Staus, Baustellen und Wetterbedingungen aus. Der Tipp des Computers: „Stellen Sie den Wagen zurück
10 in die Garage. Nehmen Sie den Intercity um 8.54 Uhr von Köln-Hauptbahnhof. Auf dem Kölner Autobahnring sind zwölf Kilometer Stau und im Westerwald herrscht dichter Nebel."

Inzwischen gibt es nicht nur bei zahlreichen Auto-
15 konzernen selbst für Mittelklassewagen satellitengesteuerte Navigationssysteme. Sogar Supermarktketten bieten diese als Taschen-Computer an.
Das Geheimnis dieser Geräte ist eine eingespeicherte digitale Karte mit zigtausenden Straßenkilometern
20 und hunderten von Stadtplänen. Der Computer weiß mit Hilfe eines Magnetkompasses immer, wo sich das Auto befindet. Über einfache Pfeilsymbole, die auf einem Armaturenbrett erscheinen, oder gesprochene Ansagen wird der Autofahrer von seinem elektroni-
25 schen Beifahrer durch Deutschland geleitet. Die Geräte dirigieren den Fahrer bis auf wenige Meter ans Ziel. „Die Route wird berechnet", „Links", „Rechts", „Folgen Sie dieser Straße, bis Sie weitere Anweisungen erhalten" sind bislang die typischen
30 Instruktionen für den orientierungslosen Autofahrer.

Die neuen Systeme lassen sich aber nur dann in großen Mengen absetzen, wenn sie noch mehr bieten und billiger werden, sagen Industrieexperten. Nachfrage sehen sie zunächst bei Speditionen, Taxiunter-
35 nehmen, Vertretern, Autovermietungen und bei den Luxuswagen. „Die meisten Fahrer sind ja immer auf der gleichen Route unterwegs und wissen, wie sie am besten zum Ziel kommen", sagt David Yates von einer Consultingfirma. „Die breite Öffentlichkeit ist nur zu
40 gewinnen, wenn nutzvolle Informationen über Verkehrsstaus und Unfälle abrufbar sind", fügt er hinzu.

Außer der reinen Routensuche bieten die Systeme teilweise jetzt schon den Weg zu Hotels, Restaurants
45 und Sehenswürdigkeiten an. Ein größerer Kundenkreis ließe sich vor allem auch ansprechen, wenn die Navigationssysteme bei der Diebstahlsicherung einzusetzen wären. Das ist laut Experten durchaus vorstellbar. Falls ein Auto gestohlen wird, könnte es per
50 Satellit bis auf wenige Meter genau geortet werden.

Textzusammenfassung

Zahlreiche Autokonzerne bieten den Autofahrern einen –1– an, der sie durch den Verkehr dirigiert. Derzeit sind bereits –2– auf dem Markt, die mit Hilfe von Ansagen oder Symbolen den genauen Weg angeben. Interessant sind diese bisher jedoch hauptsächlich für einen bestimmten Kundenkreis, wie zum Beispiel –3–. Wenn sie von normalen Autofahrern sinnvoll zu nutzen sind, etwa um über –4– zu informieren oder um den Wagen nach einem –5– wieder zu finden, werden die Travelpiloten in Zukunft noch größere Marktchancen haben.

1. *Bordcomputer*
2. ....
3. ....*und*............
4. ....
5. ....

_3_ Schlüsselwörter

Im Titel stecken die Schlüsselwörter *Autonavigation* und *Massenmarkt*.
Unterstreichen Sie alle Wörter im Text, die die gleiche Bedeutung haben oder inhaltlich eng damit verbunden sind. Ergänzen Sie die Liste.

Autonavigation	Massenmarkt
Bordcomputer	*in großen Mengen abgesetzt*

GR _4_ Unterstreichen Sie im Text alle Konstruktionen, die ausdrücken, dass etwas „gemacht werden kann".

GR S. 159, 3

GR _5_ Wie lauten die folgenden Sätze im Passiv?
Ergänzen Sie die Übersicht.

Text	Alternativen zum Passiv	Passiv
Zudem seien die Systeme bei den aktuellen Preisen en gros nur schwer verkäuflich.	*sein* + Verbstamm + *-lich*	*Die neuen Systeme können nur in großen Mengen ...*
Die neuen Systeme lassen sich aber nur dann in großen Mengen absetzen, ...	*sich* + Infinitiv + *lassen*	
Ein größerer Kundenkreis ließe sich vor allem auch ansprechen, ...		
... wenn nutzvolle Informationen abrufbar sind.	*sein* + Verbstamm + *-bar*	
... wenn die Navigationssysteme bei der Diebstahlsicherung einzusetzen wären.	*sein* + Infinitiv + *zu*	

AB

__1__   Setzen Sie die Wörter in die nummerierten Textstellen ein.

Das Schaubild kann dabei hilfreich sein.

In der Luft herrscht **1**. Gut 49 Millionen Fluggäste starteten im vergangenen Jahr von Deutschlands Flughäfen ins Ausland. Das waren über sieben Prozent mehr als im Jahr zuvor. Innerhalb der letzten zehn Jahre hat sich die Zahl der **2** fast verdoppelt. Mit über 9 Millionen Reisenden war Spanien das **3** des Jahres. 3,8 Millionen Menschen – nahezu ausnahmslos Urlauber – flogen auf die Balearen, 2,8 Millionen zog es auf die Kanarischen Inseln. Ziel **4** zwei war Großbritannien mit 4,1 Millionen Fluggästen, überwiegend Geschäftsleute. Es folgten die USA (3,9 Millionen). Einen riesigen **5** gab es für das Flugziel Ägypten. Die **6** der Passagiere erhöhte sich gegenüber dem Vorjahr um fast 40 **7**. Das Land der Pharaonen und Pyramiden liegt damit auf **8** zwölf der Hitliste.

☐ Top-Ziel
☐ Zuwachs
☒ Hochkonjunktur
☐ Prozent
☐ Flugreisenden
☐ Nummer
☐ Zahl
☐ Platz

__2__   Sehen Sie sich die Abbildung an und lesen Sie den dazugehörigen Text.

Unterstreichen Sie im Text Ausdrücke mit der Bedeutung *mehr werden*, z.B. *sich erhöhen*.

Verkehrslast wächst um ein Drittel

Auf die EU-Länder rollt eine gewaltige Verkehrslawine zu. Nach Berechnungen der EU-Kommission wird <u>sich</u> der Güterverkehr bis zum Jahr 2020 von derzeit rund 1700 Milliarden Tonnenkilometer auf 2201 Milliarden Tonnenkilometer <u>erhöhen</u> – ein Zuwachs von rund einem Drittel. Das ist nicht zuletzt eine Folge des zunehmenden Verkehrs nach und aus Osteuropa. Mit dem Fall des Eisernen Vorhangs, der Öffnung der Märkte und langsam steigendem Wohlstand nimmt auch der Warenaustausch zwischen West- und Osteuropa zu. Es sind vor allem die Straßen, die die wachsende Verkehrslast zu tragen haben. Nach den Prognosen der EU wird der Gütertransport im

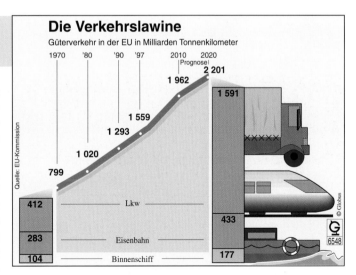

Jahr 2020 zu über 70 % mit Lkw abgewickelt; auf die Bahn werden 20 % entfallen, nur 8 % der Güter werden von Binnenschiffen transportiert.

AB

__1__   Lesen Sie die erste Seite einer Informationsbroschüre.

> Die Verkehrsdichte in den Städten steigt, und der PKW-Bestand wächst ständig weiter. Es ist zu erwarten, dass bald jeder Erwachsene ein Fahrzeug besitzt. In München sind derzeit 700 000 Autos registriert. Die brauchen viel Platz, nicht nur zum Fahren, sondern auch zum Stehen, denn das tun sie in mehr als 95% ihrer „Lebenszeit". Ist das überhaupt notwendig? Wir denken: Nein! Eine Alternative lautet:
>
> **Autoteilen – Carsharing – STATTAUTO.**
>
> **Eine verkehrspolitisch sinnvolle und preisgünstige Alternative zum Privatauto**

__2__   Führen Sie ein Beratungsgespräch.
Jeweils zwei Teilnehmer bereiten eine Rolle vor.

Runde 1: Information

Interessent	Berater
Sie haben von der Organisation STATTAUTO gehört. Über folgende Fragen möchten Sie etwas erfahren: ■ Funktionsweise und praktische Durchführung ■ Kosten	Sie arbeiten bei der Organisation STATTAUTO. Am Telefon informieren Sie Interessenten über: ■ Funktionsweise und praktische Durchführung ■ Kosten
Überfliegen Sie den Text im Arbeitsbuch und überlegen Sie sich jeweils drei bis vier Fragen, die ein Interessent stellen könnte.	Lesen Sie den Text im Arbeitsbuch aufmerksam, um über die oben genannten Punkte Auskunft geben zu können. Markieren Sie beim Lesen Schlüsselwörter und wichtige Informationen.
Beispiele: *Ich habe von STATTAUTO gehört. Können Sie mir erklären, ...* *Und dann würde mich noch interessieren, ...*	Beispiele: *Also, das ist folgendermaßen: Sie ...* *Unser System funktioniert so: ...*

Runde 2: Zweifel – Argumentation

Interessent	Berater
Sie **zweifeln** daran, dass STATTAUTO wirklich so **praktisch** und **günstig** ist. Formulieren Sie Einwände zu ■ Funktionsweise und praktischer Durchführung Beispiele: *Ich finde das alles sehr kompliziert.* *Was mache ich, wenn ...* *Das klingt ja alles sehr schön,* *aber es könnte doch passieren, dass ...* ■ Kosten Beispiel: *Das scheint mir aber ziemlich teuer!* *Ein eigenes Auto kostet auch nicht mehr.*	Sie versuchen, Interessenten von den **Vorteilen** von STATTAUTO zu überzeugen. Beispiele: *Wer mit STATTAUTO fährt, kann (braucht nicht) ...* *Wenn man nicht oft Auto fahren muss, ...* *Ich würde Ihnen auf jeden Fall raten, ...* *Sie können ja mal nachrechnen.* *Sie werden sehen, ...*

10

1   Ergänzen Sie Wörter zum Wortfeld *Fortbewegung*.

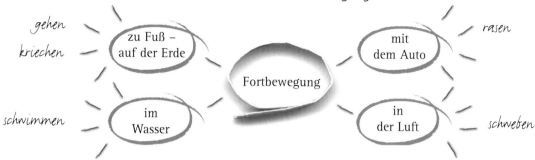

gehen
kriechen   zu Fuß –   rasen
                           auf der Erde

                                    Fortbewegung

schwimmen   im   in   schweben
                 Wasser   der Luft
                           mit
                           dem Auto

2   Hören Sie jetzt eine Geschichte.

Es geht um eine Reise durch verschiedene Landschaften und Klimazonen. Sammeln Sie sich in der Mitte des Raumes und machen Sie
sich wie in der Geschichte auf den Weg. Drücken Sie pantomimisch
verschiedene Arten der Fortbewegung aus.

3   Sehen Sie sich jetzt die Verben der Fortbewegung an.

Hören Sie die Geschichte noch einmal und ordnen Sie die Verben den
Landschaften und Klimazonen zu.

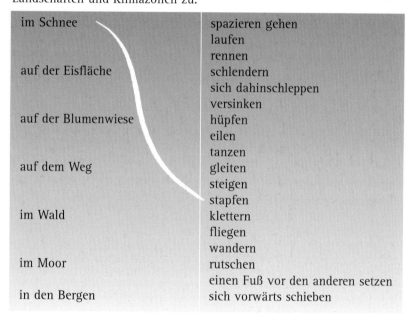

im Schnee	spazieren gehen
	laufen
	rennen
auf der Eisfläche	schlendern
	sich dahinschleppen
	versinken
auf der Blumenwiese	hüpfen
	eilen
	tanzen
auf dem Weg	gleiten
	steigen
	stapfen
im Wald	klettern
	fliegen
	wandern
im Moor	rutschen
	einen Fuß vor den anderen setzen
in den Bergen	sich vorwärts schieben

AB

4   Verfassen Sie nun selbst eine Reiseschilderung.

ⓐ In welchen Landschaften und Klimazonen sind Sie unterwegs?
ⓑ Auf welche Art und Weise bewegen Sie sich fort?

5   Lesen Sie Ihre Schilderung der Klasse vor.

Animieren Sie dabei die anderen Teilnehmer, diese Bewegungen pantomimisch nachzuahmen.

HÖREN

___1___ Wählen Sie eines der beiden Frauen-Fotos.

Was könnte am Lebenslauf dieser beiden Frauen besonders sein?
Was könnte besonders sein in Bezug auf das Thema „Mobiltät"?

Heather Nova, 33,
Sängerin, schrieb die
Lieder für ihr neues
Album auf den Ber-
mudas.

Die Bäuerin Babette H. 84, lebt allein in Kainöd,
einem einsamen Dorf in der Nähe von München.

___2___ Hören Sie die beiden Interviews nacheinander. Kreuzen Sie an, zu
welchen Aspekten Sie etwas gehört haben.

Interview	Heather Nova	Babette H.
Gründe für Wahl des Transportmittels		
Eltern, Geschwister		
Freundschaften		
Wünsche/Sehnsüchte		
Schule/Schulabschluss		
Umgang mit dem Transportmittel		
Tagesablauf/Aktivitäten		
Wohnung/Wohnort		

___3___ Tauschen Sie sich in Vierer-Gruppen über die beiden Personen aus.

Verwenden Sie dazu Ihre Notizen.
Berichten Sie auch über die Gefühle dieser Frauen.

Was fand Heather
Nova so toll?
Was fehlte ihr?
Wie sah sie die
Schule?
Machte sie ihren
Eltern Vorwürfe?
Warum (nicht)?

Was meint Babette H.
wenn sie sagt: „So
schnell gebe ich nicht
auf."?
Wozu braucht sie den
Traktor?
Kann sie auch auf
den Traktor verzich-
ten? Warum (nicht)?

___4___ Wählen Sie für sich ein ungewöhnliches Fortbewegungsmittel.
a Welchen Traum würden Sie sich damit erfüllen?
b Wie oft und wozu würden Sie es nutzen?
c Wen würden Sie mitnehmen?

__1__   Berichten Sie:

Wie weit haben Sie es zu Ihrem Arbeitsplatz bzw. Ihrer Schule/Uni?
Welche Vor- und Nachteile hat es, wenn man arbeitsplatznah bzw. -fern
wohnt?

__2__   Lesen Sie die Porträts der vier Personen.

Kennen Sie eine Person in ähnlichen Lebensverhältnissen?

Herr Professor B., 46, Hochschullehrer, lebt mit Frau und Sohn in München im eigenen Haus. Er arbeitet an der Universität Mainz und fährt jede Woche mit dem Zug zwischen Wohnort und Arbeitsstelle hin und her. Die Anreise dauert von Tür zu Tür circa viereinhalb Stunden.

Frau M., 43, ist Außendienstmitarbeiterin beim Hueber Verlag, sie lebt mit ihrem Mann in Hamburg. Mehrmals im Monat verreist sie dienstlich und übernachtet außer Haus.

Herr H., 32, verheiratet, arbeitet bei einem Autohersteller in Ingolstadt als Mechaniker in Schichtarbeit. Er fährt täglich 70–80 Minuten von seiner Wohnung in einem Zweifamilienhaus, das seinen Eltern gehört, zu seinem Arbeitsplatz.

Frau T., 31, wissenschaftliche Mitarbeiterin eines Instituts, arbeitet seit einem Jahr in Hagen. Dort hat sie nun eine eigene Wohnung. Ihr Lebensgefährte lebt weiterhin am ehemals gemeinsamen Studienort in Heidelberg. Das Paar sieht sich an den Wochenenden.

__3__

Person	Typ	Erklärung
_____	Fernpendler	Täglich einfacher Arbeitsweg von mindestens einer Stunde.
_____	Varimobile	Beruflich bedingte mehrtägige Abwesenheit von der Familie.
_____	Fernbeziehungen	Partner leben an verschiedenen Orten in getrennten Wohnungen.
_____	Wochenendpendler	Zweithaushalt während der Woche am Ort des Arbeitsplatzes.
_____	Umzugsmobile	Aufgrund ihres Berufs in den letzten fünf Jahren umgezogen.

Kaum da, schon wieder weg

Nach vorsichtigen Schätzungen stehen in Deutschland zwischen 30 und 50 Prozent aller Arbeitnehmer im Laufe ihrer Berufsbiographie irgendwann einmal vor der Entscheidung: mobil – ja oder nein? Wer dann umzieht, bricht in einen neuen Lebensabschnitt auf. Aber auch wer sich auf das Pendeln einlässt, wird ab diesem Zeitpunkt ein anderes Leben führen. Denn beruflich notwendige Mobilität ist mehr als das Zurücklegen einer Strecke in Zeit und Raum – sie ist der Umstand, der gravierend in das Privatleben der Betroffenen, ihrer Partner und der gemeinsamen Kinder hineinwirkt. Zu diesem Ergebnis kommt eine Studie des Bamberger Staatsinstituts für Familienforschung und der Universität Mainz.

Die vier wichtigsten Mobilitäts-Typen

Mobilität hat viele Gesichter. Zu jeder Mobilitätsform gibt es, so konnte die Studie zeigen, ein bestimmtes Profil: Fernpendler, die lange Anfahrtswege zum Arbeitsplatz in Kauf nehmen, sind zumeist männlich, nicht mehr ganz jung und häufig Familienväter. Die Strapazen des langen Arbeitsweges akzeptieren sie, weil sie sich einen Umzug zum neuen Arbeitsplatz nicht vorstellen können. Fernpendler leben zu 50 Prozent im Eigenheim oder in der Eigentumswohnung.

Ähnlich ist es bei den Varimobilen wie zum Beispiel bei Außendienstmitarbeitern. Der Unterschied besteht darin, dass beim Varimobilen Mobilität von vornherein fester Bestandteil des Berufsbildes ist (zum Beispiel bei Außendienstmitarbeitern).

Ganz anders stellt sich die Situation der Menschen, die so genannte Fernbeziehungen führen, dar: Diese Personen sind meist jung, kinderlos und haben ihren Bausparvertrag noch nicht eingelöst.

Genauso wie die Wochenendpendler – Shuttles – verfügen sie meist über eine hohe Schulbildung. Der typische Shuttle ist männlich und empfindet seine Mobilität als Übergangsphase. 50 Prozent von ihnen pendeln unfreiwillig, weil der heimatliche Arbeitsmarkt die Karriere- und Verdienstmöglichkeiten nicht hergibt, die sie sich vorstellen oder auf die sie angewiesen sind.

Auswirkungen der Mobilität auf die Familie

Dass ihre Familien im Alltag weitgehend ohne ihre Unterstützung auskommen müssen, dessen sind sich die allermeisten Pendler bewusst: „Das Ganze funktioniert natürlich nur, wenn man eine Frau hat, die sehr engagiert und fleißig ist und die eigentlich alles allein regeln kann", berichtet ein Wochenendpendler. Trotz dieser Beanspruchung sieht er wenig Probleme: „Wir haben eine relativ strikte Aufgabentrennung." Wer wofür zuständig ist, ergibt sich schon aus der Situation, die durch diese Form der Mobilität entsteht. Die Partnerin kümmert sich um Haushalt, Kinder und vielleicht um die häuslichen Finanzen. Sie hält ihrem mobilen Mann den Rücken frei und schlüpft wochentags in die Rolle einer allein erziehenden Mutter: Bei 70 % liegt eine traditionelle Rollenaufteilung vor.

Obwohl der Fernpendler jeden Abend im gemeinsamen Haushalt anwesend ist, können die übrigen Familienmitglieder nicht mit ihm rechnen. Trotzdem: „Es liegt nicht allein an der mobilen Lebensform, ob der abwesende Elternteil gänzlich ausgeschlossen bleibt und sich lediglich als Gast in der eigenen Familie fühlt", relativiert die Studienmitarbeiterin, Frau Limmer. Manche pendelnden Väter, so die Forscherin, haben beispielsweise einen festen Telefontermin mit ihren Kindern vereinbart.

Erfahrungen mobiler Frauen

Besonders drastische Erfahrungen mit der Aufgabenverteilung schildern mobile Frauen. Anders als die mobilen Männer haben sie keinen, der ihnen die „ungeliebte" Familienarbeit abnimmt. „So bestimmte Sachen wie Wäschewaschen oder so, das bleibt alles liegen, bis ich dann wiederkomme", schildert eine Betroffene ihre Situation, „aber das liegt auch daran, dass ich nicht loslassen kann." Berufstätige Frauen, besonders wenn sie mobil sind, stehen häufig unter einem enormen gesellschaftlichen Druck, bei allem auch noch eine gute Mutter und Hausfrau sein zu müssen.

Emotionale Folgen

Interessanterweise wird oftmals weniger das Alltagsmanagement als eigentliches Minenfeld dieser Partnerschaft empfunden, sondern die emotionale Entfremdung: Zu viele Eindrücke und Erlebnisse werden ohne den Partner gemacht und verarbeitet. Das gewachsene Vertrauen in die Beziehung schwindet – und das Misstrauen macht sich langsam breit.

Trotzdem scheinen sich manche Menschen in Wochenend- und Fernbeziehungen durchaus wohl zu fühlen, vor allem dann, wenn noch keine Kinder vorhanden sind. Die Beziehung ist ein wertvolles Gut, das – nur am Wochenende genossen – einen Beigeschmack von Belohnung und Luxus hat: „Unsere Wochen vergehen schnell, es ist schnell wieder Wochenende, und das ist immer wie ein Fest", berichtet eine Shuttlefrau euphorisch.

Mobilität und Kinder?

Für viele Paare sind diese beiden Lebensbereiche nicht vereinbar. 42 Prozent der befragten Männer und 69 Prozent der befragten Frauen gaben an, dass sich die berufliche Mobilität auf die Familienplanung hemmend ausgewirkt habe. Vor allem die Frauen sehen mit wachsender Unruhe, wie ihre biologische Uhr tickt, während sie beruflich mobil sein müssen: „Ich habe jetzt zum dritten Mal beruflich neu angefangen, und da möchte ich mich erst mal darauf konzentrieren", erzählt eine Betroffene. Und eine andere Wochenendpendlerin setzt klare Prioritäten: „Also, wenn es um den Preis ist, dass ich zu Hause bleibe und Hausfrau werde, dann möchte ich nicht schwanger werden." 75 Prozent der befragten Frauen sind mit 36 Jahren noch kinderlos.

Während sich bei den mobilen Männern der geplante Einstieg in die Familiengründung allenfalls verzögert, müssen wir davon ausgehen, dass eine große Mehrheit mobiler Frauen kinderlos bleiben wird. Eine Tendenz mit schwerwiegenden demographischen Folgen: „Weniger Bevölkerung, alternde Bevölkerung sind die Konsequenzen", erklärt Professor Norbert F. Schneider, Leiter der Studie.

___4___ Ergänzen Sie Informationen aus dem Text.

ⓐ Beruflich notwendige Mobilität hat Folgen für: _____

ⓑ Gründe für „Fernpendeln": _____

ⓒ Häufige Aufgabenverteilung in „Pendlerfamilien": _____

ⓓ Probleme und Überlegungen weiblicher „Berufsmobiler": _____

ⓔ Nachteile der Mobilität für eine Familiengründung: _____

GR ___5___ Partizipialkonstruktionen

Partizipien sind von Verben abgeleitet und übernehmen die Funktion eines Adjektivs. Man unterscheidet Partizip-I- und Partizip-II-Formen.

ⓐ Unterstreichen Sie im Text alle adjektivischen Partizip-I- und Partizip-II-Formen.
ⓑ Ergänzen Sie die Beispiele im Raster und formen Sie, wo möglich, in Relativsätze um.

Partizip I	Partizip II	Relativsatz	Bedeutung
Eine allein erziehende Mutter		*Eine Mutter, die (ihre Kinder) allein erzieht.*	aktiv + gleichzeitig zum Hauptverb
	die so genannten Fernbeziehungen	*(die) Fernbeziehungen, die so genannt werden*	passiv

ⓒ Partizipien haben entweder eine **aktive** Bedeutung und bezeichnen eine Handlung, die **gleichzeitig** oder **vorzeitig** zum Hauptverb des Satzes stattfindet, oder sie haben eine **passive** Bedeutung.

Vergleichen Sie die Partizip-II-Formen
die befragten Männer und *das gewachsene Vertrauen.*

Was trifft auf welche Form zu?

■ passive Bedeutung

■ aktive Bedeutung

■ vorzeitig zum Hauptverb des Satzes

■ gleichzeitig zum Hauptverb des Satzes

AB

SCHREIBEN

__1__ Lesen Sie die drei Statements.

In der Zeitschrift des Allgemeinen Deutschen Automobilclubs
ADACmotorwelt standen folgende drei Statements unter der Überschrift:

Was Auto-Mobilität wirklich für unsere Gesellschaft bedeutet

A

*„Der Straßenverkehr
richtet Millionenschäden
an. Wir alle müssen
deshalb umdenken.“*

Alternativen zum motorisierten
Individualverkehr müssen vor
allem in den Städten gefunden
werden.

B

*„Jeder hat das Recht auf
ein eigenes Auto!“*
Mobilität ist ein Zeichen von
persönlicher Freiheit und Individualität. Das Auto ist das einzige
Fortbewegungsmittel, mit dem
jeder Mensch zu jeder Zeit, gemeinsam mit mehreren anderen
Menschen, fast jeden Ort nach
seinem Fahrplan erreichen kann.

C

„Ökonomie vor Ökologie!“
Wenn weniger Autos gekauft
werden, geht es uns in Deutschland allen wirtschaftlich
schlechter. Wir müssen deutlich
machen, dass die Automobil-
industrie eine Schlüsselindustrie
ist.

__2__ Welches Statement ist *pro*, welches ist *contra* Auto?

Welches gefällt Ihnen am besten? Warum?

__3__ Nehmen Sie in einem Leserbrief an die Redaktion der Zeitschrift
Stellung zu dem Thema.

Berichten Sie dabei, wie die Menschen in Ihrem Heimatland mit
diesem Thema umgehen. Bevor Sie mit dem Schreiben beginnen, führen
Sie die folgenden Arbeitsschritte aus:

a Sammeln Sie Ideen zum Thema, die Sie in Ihrem Text
verwenden möchten.
Gruppieren Sie inhaltlich zusammengehörende Ideen.
Beispiel: *Statement A*

SCHREIBEN

b Lesen Sie folgende Redemittel.

Intentionen	Redemittel
den Anlass nennen	*In der letzten Ausgabe Ihres Magazins diskutierten Sie die Frage, ...* *In Ihrer Zeitschrift las ich unlängst einen Artikel, ...* *In letzter Zeit hört man immer häufiger ...*
eine These/Behauptung aufstellen	*Ich bin der Meinung, dass ...* *Ich möchte dazu folgende These aufstellen: ...*
eine Gegenthese formulieren	*Diese Behauptung lässt sich leicht widerlegen. ...* *Wir müssen uns dagegen wehren, dass ...*
Argumente dafür/dagegen anführen	*Einige Gründe sprechen dafür, dass ...* *Ich möchte (noch) darauf hinweisen, dass ...* *Ein weiterer Gesichtspunkt ist ...* *Andererseits muss man aber bedenken, dass ...* *Zwar ist es richtig, dass ..., aber ...* *Dagegen muss man einwenden, dass ...*
abschließend zusammenfassen und ein Fazit ziehen	*Man kann also festhalten, dass ...* *Man sollte schließlich zu einem Kompromiss kommen: ...*

10

4 Schreiben Sie nun Ihren Leserbrief.

Sagen Sie darin,

- warum Sie schreiben.
- welches der Statements A, B oder C Ihnen sympathisch ist.
- warum diese Meinung Ihnen gefällt.
- welches der Statements Sie ablehnen.
- warum diese Meinung Ihnen unsympathisch ist.
- wo Sie Möglichkeiten für einen Kompromiss sehen.

Wählen Sie einige Redemittel aus Aufgabe 3 **b** und schließen Sie Ihren Leserbrief mit einem Gruß.

AB

5 Lesen Sie Ihren Text noch einmal durch.

Prüfen Sie, ob Ihr Brief folgende Elemente enthält:

- Datum ▪ Anrede ▪ einleitender Satz
- Stellungnahme ▪ Grußformel

6 Überprüfen Sie den Aufbau Ihres Textes.
Lesen Sie den Brief dazu einmal laut.

a Wird deutlich, welche Meinung Sie haben?
b Schließen die Sätze gut aneinander an?

ÜG S. 110-115

__1__ Formen des Passivs

a Vorgangspassiv

Das **Vorgangspassiv** bildet man aus einer Form des Verbs
werden + Partizip II.

einfache Formen

	Präsens	Präteritum	Perfekt	Plusquamperfekt
ich	werde gefragt	wurde gefragt	bin gefragt worden	war gefragt worden
du	wirst belogen	wurdest belogen	bist belogen worden	warst belogen worden
er/sie/es	wird verkauft	wurde verkauft	ist verkauft worden	war verkauft worden
wir	werden verfolgt	wurden verfolgt	sind verfolgt worden	waren verfolgt worden
ihr	werdet gesehen	wurdet gesehen	seid gesehen worden	wart gesehen worden
sie/Sie	werden aufgefordert	wurden aufgefordert	sind aufgefordert worden	waren aufgefordert worden

10

mit Modalverb

Präsens	Dieses Jahr *müssen* mehr Fahrzeuge *verkauft werden*.
Präteritum	Die Zahlen der vergangenen Jahre *konnten* nicht *erreicht werden*.
Perfekt	1992 *hat* das 21-millionste Exemplar des VW-Käfers *verkauft werden können*.
Plusquamperfekt	Die Produktion *hatte* nach Mexiko *verlegt werden müssen*.

b Zustandspassiv

Man bildet es aus einer **Präsens-** oder **Präteritumform** des Verbs
sein + Partizip II.

Präsens	Die Berliner Mauer *ist abgerissen*.
Präteritum	Die Stadt *war* fast drei Jahrzehnte *geteilt*.

__2__ Verwendung von Vorgangs- und Zustandspassiv

Aktiv
Die Geschäftsleitung *verlegt* die Produktion nach Mexiko.
(Vorgang: Blickrichtung auf die handelnden Personen)

Vorgangspassiv
Die Produktion *wird* nach Mexiko *verlegt*.
(Vorgang: Blickrichtung auf den Verlauf der Handlung)

Zustandspassiv
Die Produktion *ist* nach Mexiko *verlegt*.
(Zustand: Blickrichtung auf das Resultat der Handlung)

ÜG S. 116

3 Alternativen zum Passiv

Anstelle von **Passivkonstruktionen mit dem Modalverb** *können* sind **alternative Formen** möglich. Dafür gibt es drei Varianten.

Passiv	Der Bordcomputer *kann* nachträglich *eingebaut werden.* Die Systeme *können* noch nicht in großen Mengen *verkauft werden.*
Alternativen	
a *sich* + Infinitiv + *lassen*	Der Bordcomputer *lässt sich* nachträglich *einbauen.* Die Systeme *lassen sich* noch nicht in großen Mengen *verkaufen.*
b *sein* + Infinitiv + *zu*	Der Bordcomputer *ist* nachträglich *einzubauen.* Die Systeme *sind* noch nicht in großen Mengen *zu verkaufen.*
c *sein* + Verbstamm + *-bar/-lich*	Der Bordcomputer *ist* nachträglich *einbaubar.* Die Systeme *sind* noch nicht in großen Mengen *verkäuflich.*

ÜG S. 44

4 Partizip I und Partizip II in Adjektivfunktion

Partizipien leitet man zwar vom Verb ab, sie haben jedoch häufig die Funktion von Adjektiven oder Adverbien.

Beispiel: *das schöne, gepflegte Auto*

Steht ein Partizip vor einem Nomen, so hat es die entsprechende Adjektivendung.

Partizip I	Partizip II
Infinitiv + *d* + Adjektivendung	Partizip II + Adjektivendung
die *pendelnden* Väter	die *befragten* Frauen
pendelnde Väter	von den *befragten* Frauen

ÜG S. 44, 154

5 Partizipialkonstruktionen oder Relativsätze

Relativsätze lassen sich verkürzt in Form von Partizipialkonstruktionen wiedergeben.

Beispiel: Familien, *die betroffen sind*
        betroffene Familien

Bedeutungsunterschiede:

Partizip-I-Konstruktion	Partizip-II-Konstruktion	
Aktiv–Bedeutung Zustände oder Vorgänge, die gleichzeitig neben der Haupthandlung herlaufen	Passiv–Bedeutung	Aktiv–Bedeutung Vorgang, der schon abgeschlossen ist

Beispiele:

Relativsatz	Aktiv/Passiv	Partizip	Partizipialkonstruktion
eine Mutter, *die (ihre Kinder) allein erzieht*	Aktiv – gleichzeitig	Partizip I	eine *allein erziehende* Mutter
das Vertrauen, *das wächst*	Aktiv – gleichzeitig	Partizip I	das *wachsende* Vertrauen
Fernbeziehungen, *die so genannt werden*	passiv	Partizip II	*so genannte* Fernbeziehungen
der Einstieg, *der geplant wurde/ist*	passiv	Partizip II	der *geplante* Einstieg
das Vertrauen, *das gewachsen ist*	Aktiv – vorzeitig*	Partizip II	das *gewachsene* Vertrauen
der Zug, *der angekommen ist*	Aktiv – vorzeitig*	Partizip II	der *angekommene* Zug

* nur bei Verben, die das Perfekt mit *sein* bilden

QUELLENVERZEICHNIS

Seite 9 MHV-Archiv/MEV

Seite 11 Bild 1: picture-alliance/ © dpa Bilderdienste; 2: Nestlé Deutschland AG; 3: ThyssenKrupp Steel AG; 4: Steinway & Sons; 5: picture-alliance/akg-images

Seite 13 links: Deutsches Filminstitut, Frankfurt/Main; unten: MHV-Archiv/Digital Vision

Seite 14 Bild-Nr. 1: Konrad-Adenauer-Stiftung © Harald Odehnal; 4: DIZ München, SV Bilderdienst; 5: © SPD.de – 2004; 10: picture-alliance/ © dpa; alle anderen: UT Library Online

Seite 15 links: picture-alliance/© dpa; rechts: picture-alliance/akg-images

Seite 19 Abdruck mit freundlicher Genehmigung der Verlage: Amman Verlag & Co. Zürich; C.H. Beck'sche München (©Uwe Göbel; Beck'sche Reihe Nr.4001); Christian Brandstätter Wien; Verlagsgruppe Droemer Knaur München; Reclam Verlag Leipzig

Seite 20 Gedicht aus: Kurt Tucholsky, Gesammelte Werke, © 1960 by Rowohlt Verlag, Reinbek

Seite 21 Foto: DIZ München, SV Bilderdienst; Text aus: Kurt Tucholsky, Deutsches Tempo © 1985 by Rowohlt Verlag, Reinbek

Seite 24 Abbildung: Rowohlt Verlag, Reinbek

Seite 37 Chantelle Coleman zitiert aus: SZ 10./11.96; Abbildung und Text unten aus: Elias Canetti, Die gerettete Zunge. Gesammelte Werke Band 6. © 1994 Carl Hanser Verlag, München Wien

Seite 38 Foto: DIZ München, SV Bilderdienst

Seite 41 Foto: © Presse- und Informationsamt des Landes Berlin (G. Schneider)

Seite 42 Buchcover mit freundlicher Genehmigung von DumontReisen (www.dumontreise.de)

Seite 43 Berlin-Plan: © Falk Verlag, Ostfildern

Seite 45/51 Fotos: Wiener Tourismus-Verband

Seite 46 Foto: © Partner für Berlin/FTB-Werbefotografie

Seite 50 Foto: Ullstein Bilderdienst, Berlin; Text aus: Kurt Tucholsky, Gesammelte Werke, © 1960 by Rowohlt Verlag, Reinbek

Seite 52 Foto: picture-alliance/© dpa-Bildarchiv; Text aus: Baedeker's Allianz Reiseführer Wien, 12. Auflage 2003

Seite 55 Foto: ©Alexander Keller, München

Seite 56 Foto oben und unten: MHV-Archiv (Christine Stephan); Mitte: Monika Bender, München

Seite 57 Text aus: AOL-Homepage

Seite 60 Grafik: © APA – Austria Presse Agentur, Wien

Seite 61 Foto: © Inge Zander/Goldmann Verlag; Hörtext (Interview „Lernen von den Alten") von Johanna Adorján mit Heidemarie Schwermer aus: www.jetzt.de2001

Seite 62 Buchcover mit freundlicher Genehmigung des Goldmann Verlages

Seite 64 Text von Marianne von Waldenfels, entnommen aus dem SZ-Magazin Nr. 7/2002

Seite 68 Text von Petra Schnitt aus: Stern 31/1993

Seite 71 Wörterbuchauszug aus: Duden, Das große Wörterbuch der deutschen Sprache. 3., völlig neu bearbeitete und erweiterte Auflage. Herausgegeben von der Dudenredaktion. Bibliographisches Institut & F.A.Brockhaus AG, Mannheim, 1999

Seite 72 Fotos: MHV-Archiv (Jens Funke)

Seite 74/75 Texte aus: Brigitte Young Miss 6/95 © Picture Press, Hamburg

Seite 78 Fotos: DIZ München, SV Bilderdienst; Text aus: Arthur Schnitzler, Gesammelte Werke. Die dramatischen Werke 1 © 1962 by S. Fischer Verlag GmbH, Frankfurt/Main

Seite 81 MHV-Archiv/MEV

Seite 85 Texte aus: abi Berufswahl-Magazin, 11/1995

Seite 87 oben: MHV-Archiv/PhotoDisc; unten: MHV-Archiv/EyeWire

Seite 91 Foto: MHV-Archiv/Dieter Reichler

Seite 95 Text von Franz Kotteder aus: SZ vom 28.09.95

Seite 99 Foto: Jim Bauer, Mother with Alien Child, American Primitive Gallery, New York/Aarne Anton

Seite 100f Text von Titus Arnu aus: Süddeutsche Zeitung Magazin Nr. 21/95

Seite 108 Buchcover: Umschlaggrafik von Celestino Piatti © 1986 by Deutscher Taschenbuch Verlag, München; Text aus: Herbert Rosendorfer, Briefe in die chinesische Vergangenheit. © 1983 by Nymphenburger in der F.A. Herbig Verlagsbuchhandlung GmbH, München

Seite 111 Foto oben: DFI – Deutsches Filminstitut, Frankfurt/Main; unten: picture alliance/© dpa-Fotoreport

Seite 115 CompuServe, München/lithoservice Brodschelm

Seite 116 MHV-Archiv/Prospektmaterial

Seite 117 Text von Marc Pitzke aus: Die Woche v. 23.08.1996

Seite 119/141 Globus Infografik GmbH, Hamburg

Seite 120 Foto links: picture alliance/© dpa (Bajzat); Mitte: ARD-aktuell, Tagesschau Bildarchiv, Hamburg; rechts: WDR Köln

Seite 124 Text links aus: Bild v. 07.05.1996; rechts aus: SZ v. 06.05.1996 v. Hans-Werner Kilz

Seite 126 Text und Abbildung: Hamburger Edition HIS Verlagsgesellschaft mbH

Seite 131 MHV-Archiv/MEV

Seite 133 Ernährungspyramide © aid e.V., Bonn

Seite 134/135 Mit freundlicher Genehmigung folgender Firmen: MHV-Archiv/MEV (Abb. 1); LC1 Infoservice, Müller-Milch (Abb. 2); Foto Abb. 4: MHV-Archiv (Christine Stephan); Hofmann-Menue (Abb. 5); Kaiser's Tengelmann AG (Abb. 6); Text „Ernährungstypen" von Susanne Fehrmann aus: Die Psyche isst mit. Wie sich Ernährung und Psyche beeinflussen © Foitzick Verlag, München 2002

Seite 136 Foto und Hörtext: © NDR, Vertrieb durch Studio Hamburg Fernseh Allianz (FA) (Visite, 23. 09.2003, Interview mit Lutz Hertel zum Thema Wellness)

Seite 137 Burgenland Tourismus/Popp & Hackner

Seite 138/139 Text von Heiko Ernst aus: Psychologie heute 7/2002

Seite 143 Wir danken folgenden Firmen für die Abbildungen: BMW Group (Media Pool), Deutsche Bahn AG, Lufthansa AG, Neoplan, Opel AG; Fahrrad: MHV-Archiv (MEV); Kickboard: MHV-Archiv (Christine Stephan)

Seite 144 Autos: Volkswagen AG, Wolfsburg; Text aus: ADAC-Magazin 2/96

Seite 146 Keystone Press AG, Zürich

Seite 147 Abbildung © Compaq/Semitronic; Text: Agentur Reuter vom 21.11.1995

Seite 149/150 Abbildungen: Globus Infografik GmbH, Hamburg

Seite 152 Foto links: Roba Press, Hamburg; Hörtext: Interview mit Heather Nova von Gabriela Herpell aus: SZ-Magazin v. 14.09.2001; rechts: Enno Kapitza Fotografie, Gräfelfing; Hörtext: Interview mit Babette Hainzsperger von Rebecca Smit aus: SZ-Magazin v. 25.01.2002

Seite 153 oben links: MHV-Archiv (Christine Stephan); unten rechts: MHV-Archiv/irisblende.de

Seite 156 Fotos: links und Mitte: MHV-Archiv (Dieter Reichler); rechts: MHV-Archiv/MEV Statements aus: ADAC-Motorwelt 5/95

Gerd Pfeiffer, München: Seite 10, 13 (r.o.), 27, 47, 67, 68, 69, 76, 89, 134 (Abb.3),140.

Wir haben uns bemüht, alle Inhaber von Bild- und Textrechten ausfindig zu machen. Sollten Rechteinhaber hier nicht aufgeführt sein, so ist der Verlag für entsprechende Hinweise dankbar.

Auflösung zu Seite 73